친절한
미술
관

우리가 명화를 감상할 때
궁금해지는 것들

친절한 미술관

The Museum of Gentleness

정연은 지음

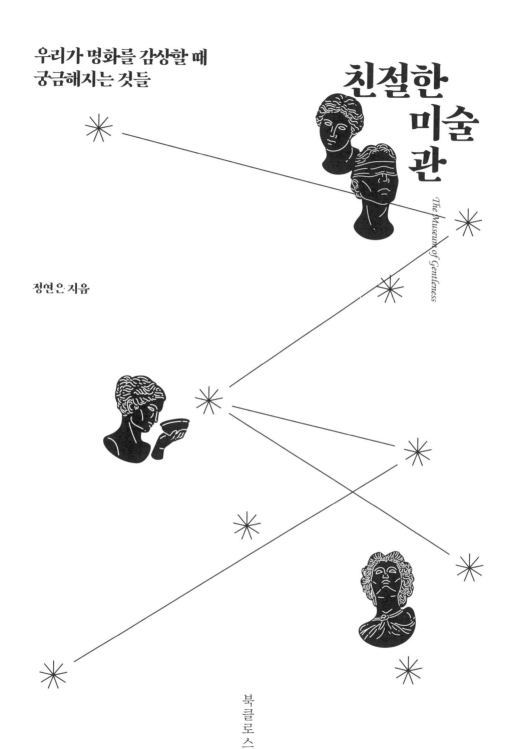

북클로스

귀로 듣던 예술에서
눈으로 보는 예술로

아는 만큼 보이는 예술의 세계

미술관은 위대한 작품들로 가득한 인문학의 보고(寶庫)다. 그러나 미술작품에 대한 전반적인 이해나 지식이 부족한 일반인들이 미술관에 가서 이것을 충분히 즐기기에는 한계가 있다. 그래서 모처럼 용기를 내 미술관을 찾더라도 미술작품의 내용을 즐기기보다 단지 미술작품의 외형만을 둘러보는 것은 아닐까?

필자는 이런 상황을 잘 이해한다. 과거 나 자신이 체험했기 때문이다. 아이러니컬하게도 과거 미술관에서 겪었던 무지의 충격이 내게 새로운 열망을 만들어주었다. 그리고 이것은 이후 10여 년 동안 내가 사람들이 미술작품을 쉽고 재미있게 보고 감상하는 방법을 연구하고 설명하는 일에 매달리게 만든 계기가 되었다.

몇 년 전 모 방송국 PD로부터 미술작품을 소개하는 라디오 프로그램을 맡아 진행해보라는 제안을 받았던 순간이 떠오른다. 퇴근 시간의 청취자들에게 단순히 음성을 통해 미술작품 이야기를 들려준다는 것 자

체가 큰 무리가 될 수도 있겠다는 걱정이 들었다. 화면 공유 없이 시각적 요소를 음성으로 표현한다는 것은 쉽지 않은 일이지만 그동안 얼망해온 것을 풀어낼 좋은 기회라는 생각에 흔쾌히 수락했다. 그리고 내 나름으로 정한 기준은 오직 한 가지, "명화를 통해 진정 보아야 하는 것, 느껴야 하는 것, 생각해보아야 하는 점을 콕 집어 유쾌하게 소개한다"라는 것이었다.

필자는 먼저 청취자들이 라디오를 통해 들어도 대부분 알 수 있는, 세계적으로 널리 알려진 유명작품을 우선 선정했다. 그리고 일과에 지친 사람들에게 내가 들려주는 명화 이야기가 작은 위안이 되길 바라는 간절한 마음으로 쉽고 재미있게 작품 내용을 전개하고자 했다. 하지만 작품에 얽힌 당대의 역사적 상황이나 작품에 담긴 다양한 관점에서의 해석에도 소홀하지 않기 위해 노력했다. 한편, 작품과 관련된 문학적 서사는 드라마 형식으로 구성해 아나운서와 함께 직접 연기해 시연하기도 했다.

이제 그동안 모아온 방송 원고 중 30여 점을 골라 책으로 엮어내고자 한다. 방송시간 분량에 맞추기 위해 생략해야 했던 세세한 이야기와 명화에 함축된 내용의 이해를 도와줄 다양한 참고 그림을 함께 소개하고 싶은 마음에서다.

『친절한 미술관』에는 내가 닿고 싶어 하는 내면의 다양한 표정이 숨어 있다. 그 표정을 알아채는 데는 그만큼 느낌과 성찰과 사유의 시간이 필요할 것이다. 무엇보다 그림 속 내면의 표정을 찾아가는 감성 여행은 다채로운 느낌의 나를 찾아가는 길이다. 그래서 이 책 속에서 나만의 숨은 명화를 찾아내는 수고는 그 자체로 현명하게 이 책을 활용하는 지름길이다. 그것이 요하네스 베르메르의 고혹미를 보여주는 「진주 귀고리를 한 소녀」든, 카스파르 다비드 프리드리히의 철학적 담론을 담은 「안개 바다 위의 방랑자」든, 에두아르 마네의 정열적 관능미를 보여주는 「카르멘으로 분장한 에밀 앙브르의 초상」이든, 존 에버렛 밀레이의 비극적 아름다움을 묘사한 「오필리아」든 나만의 그림 한 점을 찾을 수만 있다면 이 책의 가치는 그것으로 충분할 것이다.

또한 『친절한 미술관』에는 이해하기 어렵다는 현대미술의 유명 작품들이 소개되어 있다. 현대미술은 탈근대미술(포스트모던 미술)과 그 시기가 겹친다. 그러나 그 둘은 개념이 겹치지 않고 탈근대미술은 현대미술에 포함된다. 포스트모더니즘의 경우, 더 이상 '미술'이라고 부르기 어려울 정도이다. 기존 미술 장르인 회화, 조소, 판화 등에서 벗어나, 소리, 촉감, 냄새, 맛 같은 요소까지 끌어들여 종합예술화가 되고 있다.

일각에서는 포스트모더니즘은 존재하지 않는다고 말하는 반면, 일부 사람들은 포스트모더니즘도 끝났다고 말한다. 현대미술 변화의 결정적 원인은 카메라의 등장이다. 흑백사진과 컬러사진의 등장은 오랜 세월을 이어온 전통적 회화에서 추상적 미술로 변화되어 카메라의 도전에 맞서 나갔다. 이 책에서는 파블로 피카소의 「게르니카」, 「우는 여인」과 피트 몬드리안의 「빅토리 부기우기」, 르네 마그리트의 「연인들」, 알렉산더 스털링 칼더의 「마리포사」, 막스 에른스트의 「비온 뒤 유럽」, 앤디 워홀의 「코카콜라」, 잭슨 폴록의 「No. 5」 등 현대미술의 난제(難題)한 작품을 매우 이해하기 쉽게 설명했다.

그리고 별도로 마련한 부록에서는 미술관에 가서 시간 낭비하지 않고 재미있게 작품을 즐길 수 있는 몇 가지 방법을 간단히 소개했다. 이것은 그동안의 경험을 정리해 나름 도출한 결론이므로 많은 독자들에게 도움이 되리라 확신하며 반드시 여러 번 읽어보시길 당부드린다.

저녁 시간에 청취자들에게 라디오로 명화 이야기를 들려줄 때처럼 이 책의 내용들도 독자들에게 그렇게 전달되기를 바란다.

정연은

친절한 미술관

친절한 미술관

진주 귀고리를 한 소녀

요하네스 베르메르(Johannes Vermeer, 1632~1675)의 가장 유명한 그림인 「진주 귀고리를 한 소녀」는 종종 '네덜란드의 모나리자'로 불린다. 레오나르도 다 빈치의 「모나리자」와 함께 두 그림 모두 모델의 수수께끼 같은 시선에서 그림 속 여성의 정체성을 둘러싼 추측에 이르기까지 신비한 분위기를 공유한다. 그림 속 모델이 누구인지는 아직 밝혀지지 않았다. 어떤 사람들은 베르메르의 장녀라고 주장하지만 이 주장을 뒷받침할 유력한 증거는 없다.

「진주 귀고리를 한 소녀」 작품은 누가 그렸나요?

17세기 네덜란드 화가 요하네스 베르메르입니다. 네덜란드를 대표하는 예술가 중 한 명이죠.

「진주 귀고리를 한 소녀」는 어떤 작품인가요?

베르메르가 33세 되던 해 캔버스에 유화로 그린 작품인데요. 크기는 가로, 세로 약 40cm로 비교적 작은 작품이에요. 현재는 네덜란드 헤이그에 위치한 마우리츠하위스 미술관에 소장되어 있는데요. '북구의 모나리자'로 불릴 정도로 유명해 매년 40만 명 이상이 이 작품을 보기 위해 몰려든다네요.

▲네덜란드 헤이그의 마우리츠하위스 미술관 전경

「모나리자」는 프랑스 파리 루브르 박물관을 가면 꼭 보아야 하는 3대 작품일 만큼
유명한 작품 아닌가요? 어떤 이유로 이 작품이 '북구의 모나리자'라는 별명을 갖게 되었나요?

●))

이 작품이 레오나르도 다 빈치의 「모나리자」와 비교된다는 것은 그
만큼 미적 가치가 뛰어나다는 거예요. 실제로 이 작품은 네덜란드
당국이 해외 전시를 불허할 만큼 소중히 여기는 작품이에요.

「진주 귀고리를 한 소녀」 작품의 포인트는 무엇인가요?

●))

작품 속 소녀는 옷깃이 높은 노란 옷 차림에 머리에는 이슬람풍의
푸른 터번을 쓰고 있는데요. 왼쪽 어깨 쪽으로 얼굴을 살짝 돌려 관

▲마우리츠하위스 미술관의 「진주 귀고리를 한   ▲루브르 박물관의 「모나리자」를 감상하는 관람
소녀」를 감상하는 관람객들   객들

람객과 시선을 마주치고 있죠. 소녀의 왼쪽 귀에는 그림 제목에도 있는 것처럼 제법 커다란 진주 귀고리를 하고 있는데요. 하얀 얼굴에 예쁜 코와 입술, 커다란 눈망울이 무척 매력적이죠. 그런데 특이한 것은 여느 초상화와 달리 눈썹과 속눈썹이 거의 보이지 않는다는 거예요. 아마도 이 점이 「모나리자」라는 별명을 갖게 된 가장 큰 이유라고 생각해요.

그러고 보니 정말 그림 속 소녀의 얼굴에 눈썹이 보이지 않네요.
눈썹 없는 초상은 「모나리자」의 가장 큰 특징 아닌가요?

이 작품이 '북구의 모나리자'로 불리는 것은 단순히 눈썹이 없기 때문만은 아니겠죠. 입술을 살짝 벌린 채 얼굴에 담고 있는 신비

스러운 미소는 이 작품이 지닌 가장 큰 백미(白眉)라고 할 수 있는데요. 까만 배경을 뒤로 하고 있는 소녀의 얼굴을 비추며 타고 흐르는 듯한 미묘한 빛의 처리가 신비한 아름다움을 자아내고 있죠. 당시 제작한 작품 중에 이만큼 아름다운 초상화는 거의 찾아볼 수 없기 때문에 이 작품이 '북구의 모나리자'라는 별명을 얻을 수 있었을 거예요.

이 그림을 보니 전에 보았던 「진주 귀고리를 한 소녀」라는 영화가 생각나는데요. 영화 속에서는 하녀를 모델로 해 그림을 그리다가 화가와 복잡 미묘한 연애 감정이 싹트는 것으로 나타나는데요. 실제로 베르메르와 모델 간에 그런 스캔들이 있었나요?

그 영화는 1999년 미국 여류소설가 트레이시 슈발리에가 쓴 「진주 귀고리를 한 소녀」라는 소설을 근거로 2003년 제작되었는데요. 그리트라는 소녀가 화가 베르메르의 집에 하녀로 들어가면서 이야기가 전개되죠. 그래서 많은 분들이 이 소녀를 베르메르 집의 하녀로 아시는데요. 그건 어디까지나 소설가 트레이시 슈발리에의 상상이고요. 그녀가 하녀였다는 근거는 어디에도 없어요. 그리고 이 소설이 세상에 나오기 전까지 이 그림은 「푸른 터번의 소녀」라고 불렸어요. 또한, 영화와 달리 베르메르와 소녀는 화가와 모델 이상의 관계는 전혀 아니었을 확률이 높아요. 왜냐하면 베르메르는 자기 아이만

▶▶피터 웨버 감독의 영화 「진주 귀고리를 한 소녀」의 포스터. 베르메르 역으로 콜란 퍼스가 열연했고 귀고리 소녀로 스칼릿 조핸슨이 열연해 2004년 제29회 LA 비평가협회 촬영상을 수상했다.

DAS MÄDCHEN MIT DEM PERLENOHRRING

COLIN FIRTH   SCARLETT JOHANSSON   TOM WILKINSON

Nominiert für 3 Oscars® und 2 Golden Globes

E PICTURES präsentiert in Zusammenarbeit mit UK FILM COUNCIL eine Archer Street/Delux Produktion Produziert mit INSIDE TRACK und FILM FUND LUXEMBOURG COLIN FIRTH
RLETT JOHANSSON   TOM WILKINSON „Girl with a pearl earring" JUDY PARFITT CILLIAN MURPHY ESSIE DAVIS JOANNA SCANLAN ALAKINA MANN Casting LEO DAVIS
roduzenten MATTHEW T. GANNON JASON CONSTANTINE Herstellungsleitung GUY TANNAHILL Composer ALEXANDRE DESPLAT Kostüme DIEN VAN STRAALEN Make-up und
e JENNY SHIRCORE Schnitt KATE EVANS Ausstattung BEN VAN OS Kamera EDUARDO SERRA AFC ASC Ausführende Produzenten FRANÇOIS IVERNEL CAMERON McCRACKEN
CAN REID TOM ORTENBERG PETER BLOCK NICK DRAKE PHILIP ERDOES DARIA JOVICIC Co-Produzent JIMMY DE BRABANT Nach dem Roman von TRACY CHEVALIER
buch OLIVIA HETREED Produzenten ANDY PATERSON ANAND TUCKER Regie PETER WEBBER ©A.M.P.A.S.®

       Soundtrack erhältlich bei DECCA   © 2003 PATHE FEATURES LTD

NCORDE   WWW.CONCORDE-FILM.DE   IM VERLEIH VON CONCORDE-FILM   Buch zum Film erhältlich bei List   www.girlwithapearlearring.co.uk

▲베르메르의 「소녀를 위한 연구」. 트로니 장르
의 그림이다.

▲베르메르의 「붉은 모자의 여인」. 트로니 장르
의 그림이다.

12명이었고 그 많은 가족을 부양해야 했기 때문에라도 거의 일중독
에 빠져 살았던 인물이거든요. 사실 이 그림은 특정 주문자로부터
초상화를 의뢰받아 그렸다기보다 그냥 기성품으로 팔기 위해 그린
그림이에요. 요즘도 매력적인 스타나 아이돌들의 사진을 캡처하거
나 다운받아 들여다보는 게 즐거운 일이 된 것처럼요. 당시도 화가
개인에게만 아름다운 사람이 아니라 객관적 기준에서 보더라도 보
편타당한, 한마디로 대중적으로 잘 팔릴 만한 아름다움을 지닌 이상
적 인간형을 그린 것인데요. 이런 그림을 '트로니'라고 해요.

'트로니'라는 용어가 다소 생소한데 어떤 뜻인가요?

●●

'트로니(Tronie)'는 네덜란드어로 '얼굴'을 의미하는 단어에서 파생된

▲「진주 귀고리를 한 소녀」의 세부 모습. 베르메르는 많은 '트로니' 작품을 남겼지만 아이러니하게 도 그의 자화상은 단 한 점도 남기지 않았다.

용어인데요. 미술에서는 '개성적이고 독특한 얼굴을 그린 그림'을 지 칭하기도 해요. 르네상스 시대부터 화가들은 연습용으로 여러 점의 다양한 얼굴들을 그려 모아놓았다가 대형 작품을 제작할 때나 어떤 군상을 제작할 때 사용하곤 했는데요. 이게 바로 트로니죠. 한마디로 트로니는 어떤 사람의 얼굴을 자세히 그린 그림이라고 생각하시면 돼요. 베르메르의 작품에서 많이 그려졌고 「진주 귀고리를 한 소녀」 는 대표적인 트로니라고 할 수 있죠.

당시 비싼 초상화에 자기 자신이나 자신이 기억하고 싶은 사람의 모습을 담지 않고 전혀 모르는 사람의 초상을 그린 '트로니'가 그렇게 인기 있었나요?

이런 점이 당시 네덜란드의 사회 상황을 잘 말해주고 있어요. 우리 가 요즘에도 흔히 볼 수 있는 정물화나 풍경화 같은 미술 장르가 최초 이 그림이 그려진 17세기에 정착해서 사람들이 자기 집에 걸어 두는 장식용으로 선호했다는 얘기예요. 요즘은 그림 속 모델이 누구인지에 상관하지 않고 그림 자체의 아름다움에 가치를 많이 두잖아요? 이런 그림의 원조가 바로 네덜란드에서 시작된 트로니였어요.

이런 트로니나 정물화, 풍경화 같은 미술의 새로운 장르가 시작된 것이 왜 하필 16세기 네덜란드였을까요?

17세기 경제적 호황을 누리던 네덜란드의 상황과도 연관있어요. 네덜란드는 1581년 종교의 자유를 찾아 스페인으로부터 독립했어요. 이 지역의 지형 특성상 네덜란드인들은 농사를 지을 땅도 부족하고 선대로부터 물려받은 유산도 거의 없었기 때문에 일찍부터 세계를 상대로 무역에 집중했어요. 그 결과, 막대한 부를 축적한 네덜란드에서는 부자 평민들, 즉 부유한 시민들이 많이 생겨났는데요. 그들이 추구한 아름다움의 대상은 기존 귀족들이 생각하는 것과 전혀 달랐어요. 그들은 어느 천상의 고귀한 존재나 천사가 아니라 길모퉁이에서 우연히 마주치는 매력적인 사람이나 자신이 소유한 땅에 우거진 숲, 또는 식탁 위에 놓인 꽃이나 과일 등과 같이 현실에서 볼 수 있는 것들에서 아름다움을 찾으려고 했어요. 그래서 그들은 가치있다고 여기는 대상을 색다른 모습으로 그리게 되었고 바로 그런 것들이 새로운 장르의 미술품을 향유하려는 새로운 풍조를 만들어낸 거예요. 당시 네덜란드 화가들은 시민들의 이런 욕구와 수요에 맞춰 이야기가 있는 정물이나 풍경, 또는 이런 트로니에 이르기까지 미술작품을

▲베르메르의 「델프트의 풍경」_베르메르가 활동하던 당시 네덜란드 델프트를 유추해볼 수 있는 장면이다.

기성품으로 제작해 판매했던 것이죠.

그렇다면 베르메르가 부유한 시민 구매자들의 마음을
사로잡기 위해 사용한 특별한 방법이 있었나요?

베르메르는 당시 네덜란드 부자들을 타깃으로 정해 이 그림을 제작했기 때문에 귀고리뿐만 아니라 머리에 쓰고 있는 터번이나 의상에도 신경을 많이 쓴 것 같아요. 우선 소녀가 착용하고 있는 우아한 진주 귀고리는 유리구슬에 물고기 비늘을 칠한 모조품으로 추측되고 소녀가 입은 노란 옷은 당시 네덜란드가 국제적 교역이 활발했던 덕분에 꽤 유행했던 일본풍 옷이에요. 그리고 머리에 쓴 푸른색 터번은 이슬람 문화권에서 건너온 듯한 디자인이죠. 이들은 하나같이 당시 네덜란드의 돈 많은 부유층이 선호하는 고가의 사치스러운 것들이었어요. 게다가 베르메르는 우리의 상상을 초월하는 비싼 물감을 이 그림을 그리는 데 아낌없이 사용했어요.

베르메르가 사용한 물감이 상상을 초월할 정도로 비쌌다고 하셨는데요. 당시 물감이 그렇게 비쌌나요?

오늘날이야 화방에 가면 유화물감을 몇 만원이면 살 수 있잖아요? 하지만 당시 유화물감은 그렇게 쉽게 구할 수 있는 재료가 아니었어요. 유화물감은 말 그대로 기름에 색을 나타내는 재료를 섞어 사용하는 것인데요. 색깔에 따라 금보다 비싼 경우도 있었어요. 특히 파란색이 그랬죠.

물감 값이 금보다 비쌀 수도 있나요? 그리고 파란색이 다른 색들보다 왜 그렇게 비쌌나요?

파란색의 재료로 '청금석'을 사용했는데 이 청금석이 아프가니스탄의 어느 광산에서만 소량 생산되는 귀한 재료였기 때문이죠. 그래서 '물 건너 왔다'라는 의미로 예전부터 파란색을 '울트라마린'이라고 불렀죠. 그래서 중세 시대에도 파란색은 예수님의 옷이나 성모님의 옷 색깔처럼 중요하고 가장 고귀한 대상을 그릴 때만 사용했어요. 베르메르는 이렇게 비싼 '울트라마린'을 소녀가 머리에 쓴 터번에 아낌없이 사용했으니 이 그림에 얼마나 심혈을 기울였는지 알 수 있어요.

▲빈센트 반 고흐의 「별이 빛나는 밤」 1889년 작. 울트라마린 색상으로 채색되었다.

▲사소페라토의 「기도하는 처녀」 1640~1650년 작. 성모 마리아의 고귀한 의상이 울트라마린으로 채색되었다.

▲미켈란젤로의 「무덤」 1551년 작. 울트라마린 물감을 살 수 없었던 미켈란젤로가 끝내 미완성으로 그렸다.

「진주 귀고리를 한 소녀」를 그린 베르메르는 어떤 작가였나요?

베르메르는 17세기 네덜란드의 황금기를 살았던 작가인데요. 델프트에서 출생했고 작가와 상인을 겸했고 자녀가 12명이었다는 몇 가지 사실 외에는 별로 알려진 게 없어요. 게다가 남겨진 작품도 30여 점밖에 없어요. 하지만 그가 남긴 작품들을 보면 뛰어난 색의 조화와 정밀하면서도 고요한 아름다움이 탁월하게 표현되어 있어요. 그런 베르메르 그림의 아름다움을 '정중동(靜中動)'의 아름다움이라고 표현하는 학자들도 있어요. 즉, 소용히 있는 가운데 어떤 움직임이 느껴지는 묘한 아름다움이라는 거죠. 베르메르는 주로 역사화나 풍속화를 뒷배경과 조화를 치밀할 정도로 완벽히 구현하는 작가이지만 뒷배경을 그냥 까맣게 암흑으로 칠해놓고 모델의 아름다움에만 집중시키는 그림은 「진주 귀고리를 한 소녀」가 유일해요.

끝으로 이 작품 「진주 귀고리를 한 소녀」를 어떻게 보십니까?

우리에게 가장 아름다운 사람은 우리가 모르는 역사 속에 존재했던 전설적인 미인 클레오파트라도 아니고 우리와 다른 세계에 존재하는 비너스 여신도 아니라고 생각해요. 가장 아름다운 사람은 우리 주변에서 우연히 만나는 평범한 사람이라고 생각해요. 오늘 이 「진주 귀고리를 한 소녀」라는 트로니가 증명하듯이 말이죠.

◀◀ 베르메르의 「델프트의 집」 1657~1658년 작. 베르메르가 살았던 집으로 유추할 수 있다.

친절한 미술관

소크라테스의 죽음

소크라테스는 고대 그리스 철학자이자 오늘날에도 세계 4대 성인 중 한 명으로 추앙받는 인물이다. 당시 그의 죽음을 자세히 서술한 자료로 두 개가 있는데 하나는 잘 알려진 플라톤의 '대화' 편의 「변론」이고 또 다른 소크라테스의 제자 크세노폰의 「회상」이다. 소크라테스의 죽음은 많은 예술가들에게 영감을 주었는데 그 중에도 백미를 이루는 작품은 자크 루이 다비드(Jacques-Louis David, 1748 ~ 1825)의 「소크라테스의 죽음」일 것이다.

소크라테스가 워낙 유명한 인물이어서 그런지 다비드의 작품이 매우 친숙하게 느껴지네요. 구체적으로 어떤 작품인가요?

이 작품은 프랑스 궁정화가였던 자크 루이 다비드가 1787년, 즉 프랑스 대혁명 발발 2년 전 그린 그림인데요. 지금은 뉴욕 메트로폴리탄 미술관에 전시되어 있어요.

마치 연극 무대의 한 장면을 그린 듯한 독특한 느낌이 들어요.

연극 무대처럼 보이도록 공간을 구성하는 것은 신고전주의 미술의 특징인데요. 연극 무대 위에서 조명을 받는 배우들처럼 강한 명암대비를 통해 뚜렷이 인물들의 개성을 표현했어요.

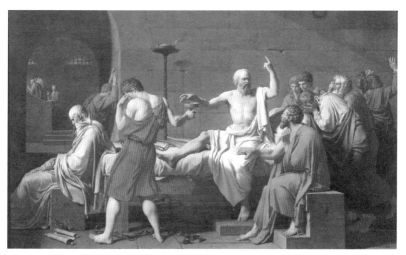

▲「**소크라테스의 죽음**」_고대 그리스의 철인 소크라테스의 죽음을 묘사한 그림이다.

그림을 더 자세히 설명해주시면 좋겠네요.

이 작품은 가로 약 196cm, 세로 약 130cm로 비교적 큰 사이즈의 유화 작품이에요. 소크라테스의 죽음 장면을 드라마틱하게 연출하기 위해 감옥처럼 보이는 공간을 배경으로 했고요. 그림 정중앙에는 긴 나무램프 하나가 수직으로 반듯하게 놓여 있어요. 그 오른쪽에 주인공 소크라테스가 관람객 쪽으로 얼굴을 보이고 있는데요. 한 청년이 고개를 돌린 채 건네는 독배를 오른손으로 받아들고 왼손으로는 하늘을 가리키고 있죠. 소크라테스의 오른쪽에는 5~6명이 선 채로 그의 유언을 들으며 슬픔에 얼굴을 감싸고 울고 있고요. 그림 맨 왼쪽에 체념한 듯 고개를 떨구고 앉은 사람은 플라톤이에요.

플라톤은 소크라테스의 제자 아닌가요? 그런데 나이가 많이 들어 보이네요?

플라톤은 소크라테스의 모든 기록을 담당했던 수제자죠. 스승 소크라테스가 죽을 당시 플라톤은 청년이었지만 스승 못지않은 '서양철학의 아버지'로 추앙받는 인물이었기 때문에 작가가 이렇게 위엄있는 노인의 모습으로 표현한 거예요.

이 작품은 신고전주의에 속한다고 하셨는데 신고전주의는 어떤 사조인가요?

신고전주의는 프랑스를 중심으로 18세기에 출현해 100년간 유행한 사조인데요. 장식적 요소를 중시했던 로코코 양식에 대한 반동으로 등장한 사조답게 고대 역사나 신화에 등장하는 진지하고 서사적인 이야기를 담아 정치적으로 이용했던 예술사조라고 할 수 있어요. 그래서 신고전주의라고 하는 거예요. 이 신고전주의는 애국적이고 도덕적인 주제를 강조함으로써 경박하고 쾌락적인 사회 분위기에서 규율을 회복할 목적으로 이용된 사조이기도 해요. 그래서 신고전주의 작품의 양식적 특징은 엄격하고 명확히 인물들을 표현하고 붓자국이 보이지 않는 매끈한 구성과 원주나 아치 같이 로마의 분위기를 나타내는 요소들을 보여주고 있어요. 또한, 직선과 비례를 엄격히 표현하는 특징도 있고요. 이런 신고전주의의 최선봉에서 최고 지위에 있었던 작가가 바로 자크 루이 다비드라고 할 수 있어요.

▲고개를 떨군 인물은 소크라테스의 제자 플라톤이며 통로 너머 계단을 오르는 여인은 소크라테스의 악처로 유명한 크산티페다.

▲독배를 든 소크라테스. 소크라테스는 죽음을 육체에서 영혼이 탈출하는 것으로 보았기 때문에 죽음을 긍정하기도 했다.

▲로코코 사조의 대표적 화가 장 오노레 프라고나르의 「행복한 연인」. 로코코 사조의 화풍은 매우 선정적이고 퇴폐적인 화려함을 보여준다. 이런 양식은 계몽주의자들의 거부와 프랑스 대혁명을 통해 사라지고 서사적인 '신고전주의 양식'이 태동했다.

자크 루이 다비드는 이 작품 말고 어떤 작품을 그린 화가인지 선뜻 연상되지 않는데요.
자크 루이 다비드는 어떤 작가였나요?

지금 50세 이상 되신 분들 중에 학창 시절 자크 루이 다비드의 작품을 한 번쯤 보시지 않은 분은 없을 거예요. 백마를 타고 알프스 산맥을 넘어가는 나폴레옹 그림을 혹시 기억하시나요? 유명 참고서 표지와 책받침 그림에 단골로 등장했던 그림이죠.

나폴레옹이 백마를 타고 알프스 산맥을 가리키며 멋지게 포즈를 취한 그림을 말씀하시는군요.
그 그림의 화가가 자크 루이 다비드였군요.

자크 루이 다비드는 나폴레옹의 궁정 전속화가이면서 열렬한 혁명 지지자였는데요. 정치성향이 강한 화가였던 만큼 나폴레옹의 몰락과 동시에 브뤼셀로 망명해 여생을 보내야 했죠. 하지만 다비드의 정치적 몰락에도 불구하고 그의 예술이 19세기 전반 프랑스 미술계를 뛰어넘어 전 유럽 사회가 추구해야 할 공식 모델로 제시되기도 한 것을 보면 다비드는 실력도 탁월하고 세계 미술사에 큰 족적을 남긴 작가라는 것을 알 수 있어요. 그런 다비드가 자신의 특징적인 기법인 세밀하고 엄격한 방식으로 「소크라테스의 죽음」을 완성한 거예요.

▶▶「생 베르나르 고개를 넘는 나폴레옹」_1798년 나폴레옹은 다비드에게 이탈리아와 이집트 원정에 동행해 전투 장면을 그려줄 것을 요청했지만 다비드는 이를 거절한 대신 나폴레옹의 초상화를 그려주기로 했다. 그리하여 1801년 「생 베르나르 고개를 넘는 나폴레옹」이 완성되었다. 이듬해 나폴레옹은 그에게 레종 도뇌르 훈장을 수여해 이에 화답했고 이때 다비드는 최초의 레종 도뇌르 수상자가 되었고 1804년 나폴레옹의 수석화가로 임명되었다.

소크라테스가 독배를 마시고 죽었을 때는 이미 70세를 넘긴 것으로 아는데
나이에 비해 너무 '몸짱' 아닌가요?

●●

이 작품을 보는 관람객들이 한결같이 던지는 질문입니다. 소크라테
스는 실제로도 체력이 매우 뛰어났대요. 사약을 먹고도 빨리 죽지
않아 몸에 독이 빨리 퍼지라고 걸어서 방안을 오갔을 정도였어요.
하지만 아무리 그렇게 건강했다고 해도 나이에 비해 몸매가 20대 청
년 못지않게 너무 깨끗하고 근육도 멋지죠. 이 그림에 나오는 사람
들 대부분이 이렇게 근육이 강조되고 아름다운 육체미를 보여주죠.
그것은 남성의 완벽한 인체를 찬양했던 고대 그리스·로마 시대의
미학을 이 신고전주의가 추앙했기 때문이에요. 그런 이유로 이 사조
를 '신고전주의'라고 부르는 거예요.

이제 작품 속 소크라테스에 대한 이야기도 들려주시면 좋겠네요.
물론 많은 분들이 소크라테스에 대해 잘 알고 계시겠지만요.

●●

소크라테스하면 맨 먼저 떠오르는 말이 "너 자신을 알라"일 거예요.
이 말은 자신의 무지를 깨닫고 지혜를 깨우치려는 노력을 하라는 가
르침이죠. 소크라테스가 당시 아테네에서 처형된 이유는 청년들을
타락하도록 부추기고 신에 대한 불경을 조작했다는 억울한 누명 때
문인데요. 부당하게 사형선고를 받은 소크라테스는 뇌물을 써 도망
가게 해주겠다는 친구 크리톤의 권유를 뿌리치면서 "내가 도망치면
저들의 억지를 인정하는 꼴"이라며 도망치지 않았어요. 그리고 "나

▲소크라테스는 독배를 들고 마지막 유언을 남겼다.
"떠날 때가 되었으니 이제 각자의 길을 가자.
나는 죽기 위해, 당신들은 살기 위해.
어느 쪽이 더 좋은지는 오직 신만 알 뿐이다."

는 그릇된 일이라면 어느 누구에게도 복종하지 않을 것이며 복종하
느니 차라리 죽겠다"라는 말을 남겼는데요. 사실 이 말이 "악법도 법
이다"라는 말로 와전되었어요. 어쨌든 소크라테스는 자신의 신념을
포기하지 않고 죽음을 택함으로써 오늘날까지 인류의 가장 위대한
철학자로 남아 있어요.

▲샤를 알퐁스 뒤 프레스노이의 「소크라테스의 독배」

▼지암베티노 시냐롤리의 「소크라테스의 죽음」

이번 갤러리에서 신고전주의 작가 자크 루이 다비드의
「소크라테스의 죽음」에 대한 이야기와 작품 속 주인공
소크라테스에 관한 이야기도 나눠봤습니다.
끝으로 우리가 이 작품을 통해
새롭게 생각해볼 수 있는 것은 무엇일까요?

소크라테스는 인류 최고의 철학자로 알려져 있어요. 철학자를 '소피
스트'라고 부르죠. 소피스트라는 말은 '지혜로운 자'라는 뜻이에요.
소피스트 중에서도 최고의 소피스트인 소크라테스는 그림에서 보듯
이 자신의 가르침을 삶에서 그대로 증명했기 때문에 오늘날에도 우
리에게 위대한 스승으로 기억되고 있는 거예요.
말과 행동이 일치한다는 것이 이렇게 중요한
것 같아요. 아무리 훌륭한 말이나 위대한
이치도 실행이 따르지 않는다면 무슨
소용이 있겠어요? 그래서 오늘은 아무리
작은 각오나 약속도 그것을 실천하기
위해 자신이 얼마나 충실했는지 되돌
아보는 시간을 가져보는 게 좋겠
다는 생각이 들어요.

▶소크라테스 조각상

친절한 미술관

안개 바다 위의 방랑자

독일 낭만주의 회화를 대표하는 카스파르 다비드 프리드리히(Caspar David Friedrich, 1774 ~ 1840)는 계절의 변화와 자연의 풍광을 소재로 한 그림을 주로 그려 인기를 구가했다. 특히 그의 그림을 열렬히 좋아했던 아돌프 히틀러가 나치의 선전도구로 이용하기 위해 그의 그림 한 점을 선택한 사건은 그의 작품에 오명을 씌웠지만 프리드리히의 풍경화에 배어 있는 신비주의적이고 멜랑콜리한 아름다움은 영원하다.

이 그림은 어디선가 본 듯한 느낌을 주는 게 왠지 낯설지 않은데 많이 알려진 작품 아닌가요?

이 작품은 사람들이 제법 많이 접한 작품일 거예요. 한눈에 보기에도 멋진 느낌이지만 뭔가 범상치 않은 분위기에서 전해지는 압도감이 느껴지잖아요? 그런 느낌 때문인지 책 표지나 드라마 포스터, 게임 홍보 이미지 등에 많이 차용되고 있어요.

작품의 이해를 위해 어떤 작품인지 더 자세히 소개해주시겠어요?

이 그림은 독일 화가 카스파르 다비드 프리드리히가 그린 「안개 바다 위의 방랑자」라는 매우 인상적인 작품이죠. 그런데 그림을 들여

▲「떡갈나무 숲속의 수도원」_폐허가 된 수도원은 떡갈나무가 무성한 공동묘지로 표현되었다. 프리드리히의 어린 시절의 가족애를 잘 보여주는 작품이다.

다 보고 있노라면 이 남성의 뒷모습에서 왠지 고독하면서도 매우 강인한 의지가 엿보이지 않나요? 이 작품이 독일 작가 프리드리히의 작품 특성이 결정적으로 바뀌는 후반기가 시작될 무렵 그려져 그런 거예요.

프리드리히 작품은 전반기와 후반기로 구별되는 차이가 있나 보군요.
그럼 전반기 작품의 특성부터 설명해주시겠어요?

먼저 그의 작품 전반기를 이해하려면 그가 어린 시절에 얻은 남다른 상처를 들춰봐야 해요. 그가 7세 때 어머니가 돌아가시고 얼마 되지

▲「북극해」_얼음에 대한 프리드리히의 트라우마는 작품 속에도 나타나는데 이 그림은 영국 윌리엄 페리의 북극 탐험 조난사고 뉴스를 듣고 강에서 얼음이 얼어가는 과정을 관찰해 그린 작품이다.

않아 그의 누나도 일찍 죽고 말았어요. 그런데 그것보다 더 큰 충격을 준 사건은 그가 13세 때 동생과 꽁꽁 언 호수 위에서 놀다가 빙판이 깨지면서 프리드리히가 얼음물에 빠지게 되었고 이런 자신을 구하려던 동생이 그만 물에 빠져 죽고 말았던 거예요. 프리드리히에게 이 사건은 평생의 트라우마가 되었어요. 그래서 전반기 그의 그림 속에는 늘 자연에 대한 경외감이 공포나 적막감, 그 고요함 속에서 엄습하는 외로움 등으로 나타나고 있어요. 예를 들어 빙하가 얼어붙은 광활하고 적막한 바다를 거니는 인간을 왜소하고 외롭게 대비시켜 표현하고 있어요.

▲프리드리히의 걸작 중 하나인「안개 바다 위의 방랑자」는 현재 독일 함부르크의 쿤스트할레 함부르크에 소장되어 있다.

전반기의 이런 작품 성향에 커다란 변화가 생겼다면
뭔가 계기가 있었을 텐데 어떤 계기로 어떻게 변화되었나요?

그래요. 프리드리히는 44세 늦은 나이에 25세 아름다운 여인과 결혼했는데 이때부터 그의 심경에 큰 변화가 생겨 작품에서도 그 변화가 감지되죠.「안개 바다 위의 방랑자」는 이 시기에 그려진 작품이에요. 사랑하는 사람을 만나 지켜주고 싶은 가족이 생겼다는 기쁨 때문인지 그의 작품 속에 나타나는 인간의 모습은 이제 자연의 광활함에 맞서는 당당하고 결의에 찬 모습으로 등장하는 변화가 나타났어요. 다른 말로 표현하면 자연에 정면으로 위풍당당 맞서는 인간의 고독한 내면을 보여준다고나 할까요.

▲「**석양 앞의 여인**」_프리드리히의 젊은 아내가 석양을 바라보고 있다. 괴테가 절친 프리드리히에게 기상현상을 조사하기 위해 구름을 그려달라고 부탁하자 구름을 끊임없이 변화하는 신비로운 하늘이자 신성한 형상으로 여겼던 프리드리히는 불쾌해했다고 한다. 그만큼 프리드리히는 해와 달과 구름 등 자연의 숭고함을 존중했고 그것들을 화폭에 담으려고 했다.

프리드리히의 작품을 보면 다른 작가들의 작품과 차별되는 어떤 엄숙함,
다른 말로 경건함 같은 게 느껴지는데 제 표현이 맞나요?

프리드리히는 현장에서 스케치한 작품을 작업실로 가져와 자신의 자아 속에 간직한 자연에 대한 느낌을 반영해 독창적으로 그려냈다고 해요. 그래서인지 그의 작품을 보면 인간이 범접할 수 없는 거대한 자연과 우주의 본질적 기운이 느껴져요. 동시에 우리 관람객에게는 숭고한 아름다움으로 다가와요. 이런 아름다움을 미학에서는 '숭고의 아름다움', 즉 '숭고미'라고 표현해요.

▲카스파르 다비드 프리드리히의 자화상 ▲임마뉴엘 칸트 초상화

'숭고미'라고요? 좀 더 자세히 설명해주세요.

'숭고미'를 구체적으로 정의한 인물은 독일 철학자 임마뉴엘 칸트 (Immanuel Kant, 1724 ~ 1804)예요. 그가 말하는 숭고미를 간단히 설명하면 이렇습니다. 사람들이 미처 경험하지 못한 새롭고 아름다운 광경을 목격하면 단순히 아름답다고 느끼기보다 불안이나 공포를 느끼게 되죠. 어마어마한 자연의 장관, 예를 들어 풍랑이 세차게 이는 바다를 생각해볼까요? 그 바다를 바라보고 '아!' 감탄하게 되는 것은 자기 경험으로 미처 파악되지 못한 느낌을 표현하는 경우죠. 그럴 때 우리는 그 불안과 공포(칸트는 그런 불안과 공포를 불쾌라고 표현했어요), 그런 불쾌가 아름답다고 느끼는 감정으로 바뀔 수 있는데 이것이 칸트가 말하는 숭고미예요.

▲「**안개 바다 위의 방랑자**」_배경을 변형해 안개 바다의 장관을 보여주고 있다. 이 작품은 프리드리히의 대표작으로 그가 열기구를 타고 위로 올라가며 아래를 내려다볼 때 얼핏 스치는 안개 사이로 보인 순간을 포착한 듯하다.

이 작품에서 숭고미가 느껴지는 건 어떤 부분 때문일까요?

우선 이 그림을 보면 구름이 층을 이루고 안개가 바다처럼 깔린 거대한 풍경 자체가 숭고함을 불러 일으켜요. 거기에 고독한 한 인간이 그 안개 바다를 바라보고 있는데요. 광활하고 웅장한 풍경은 그나마 많은 부분이 구름에 가려 잘 보이지도 않아요. 자연의 무한함에 비하면 인간의 시야는 어차피 보잘 것 없기 때문에 잘 안 보이는 게 어쩌면 당연하죠. 여기서 프리드리히는 그런 무한함에 정면으로 맞서는 고독한 인간의 내면을 대비시키면서 인간의 위대함도 함께 강조하고 있어요. 그리고 이 작품을 통해 우리가 삶 속에서 거대하고 광활한 대자연을 마주할 때 한 번쯤 느껴보았던 숭고미를 떠올리게 되죠. 그리고 동시에 자신의 왜소함보다 자신의 존재 이유

▲「**저녁노을을 바라보는 두 남자**」_노을이 지는 해변, 멀리 수평선을 바라보는 두 남자를 묘사한 작품이다. 프리드리히의 그림은 신비롭고 엄숙함이 펼쳐지는 가운데 그가 그린 인물들은 대부분 뒷모습을 보이고 있다. 이처럼 뒷모습을 보이는 다른 그림들은 대부분 프리드리히의 그림이라고 볼 수 있다.

▼「**바다 위로 떠오르는 달**」_바위, 바다와 어두운 색의 하늘. 이 바위 위에는 뒤에서 세 명이 앉아 두 척의 범선이 떠 있는 바다를 똑바로 바라보고 있다. 프리드리히의 전형적인 구도를 보여준다.

와 신과의 관계 같은 것을 생각할 수 있는 동기를 부여하는 것이기 때문에 이 작품이 훌륭한 철학적 의미를 지닌 명화인 거예요.

이 작품을 통해 우리가 새롭게 생각해볼 수 있는 것은 무엇일까요?

프리드리히는 이 작품을 통해 무한한 자연 앞에 선 유한한 인간을 결코 초라하거나 나약하게 그려놓지 않았어요. 물론 장엄한 자연 앞에서 두려움을 느끼고 그 엄청난 힘 앞에 경외감을 느끼게 되는 것은 인간이기 때문에 당연하겠지만 그 엄청나고 광활한 대자연을 마주할 수 있는 인간이기 때문에 인간이 그 존재 가치를 빛낼 수 있는 거예요. 저 위대한 자연만큼 신께서 우리 인간을 정성들여 창조했다는 사실도 기억했으면 좋겠어요.

대사들

한스 홀바인(Hans Holbein, 1497 ~ 1543)은 인물의 심리를 꿰뚫어보는 통찰력과 정확한 사실
주의적 묘사에 힘입어 역사상 가장 위대한 초상화가로 평가받는다. 그는 미술가 아버지
로부터 많은 영향을 받았지만 독일에 유입되었던 이탈리아의 미술 경향도 잘 알고 있었
다. 그가 시도한 초상화 기법은 반짝이는 푸른색으로 칠한 단색 배경에 인물을 단정하고
똑바른 자세로 앉히고 오늘날 증명사진처럼 눈썹, 콧구멍, 손톱의 윤곽선을 선명하고 정
교하게 그리는 방식이었다.

이 그림은 친숙한 느낌이 드는데 어떤 작품인가요?

이 그림은 1533년 영국 헨리 8세의 궁정화가였던 독일 한스 홀바인의
작품으로 현재 영국 내셔널 갤러리에 상설전시되어 있어요. 이 작품
은 탁월한 초상화인 동시에 당대 유행했던 은유기법, 미학용어로 '알
레고리'라는 기법을 활용해서 작품 중 인물이 가진 정서 상태나 작가
가 의도하는 메시지를 훌륭히 담아낸 수작이라고 할 수 있어요.

작품 속에 남성 두 명이 보이는데 어떤 인물인지 먼저 소개해주시죠.

왼쪽에 서 있는 사람은 영국 주재 프랑스 대사 장 드 댕트빌이고 옆

에 있는 사람은 프랑스에서 밀명을 들고 대사를 찾아온 조르주 드 셀브 주교예요.

두 명 모두 대사인 셈이군요.
그런데 밀명을 들고 왔다면 뭔가 목적이 있었을 텐데 어떤 사연이 있었나요?

급히 해결해야 할 미션이 있었는데요. 그것은 당시 영국 왕이던 헨리 8세의 마음을 되돌려 왕비 캐서린과의 이혼을 막으라는 것이었어요.

남의 나라 왕실의 부부 문제를 중재하려고 대사까지 파견했다고요?
얼핏 쉽게 공감이 안 가네요.

이 부분을 이해하려면 당시 시대적 상황에 대한 이해가 좀 필요해요. 헨리 8세는 영국 역사상 가장 강력한 왕권을 휘두른 왕이었는데요. 여섯 번이나 결혼하고 자기 부인 두 명을 처형시킨 사생활로도 유명해요. 그중에서도 지금 보시는 이 작품과 연관된 사건은 두 번째 왕비 앤 불린과의 결혼과 관련된 이야기예요.

헨리 8세라는 왕의 사생활이 대단했던 모양인데
두 번째 왕비를 맞이하는 과정에서 뭔가 문제가 있었나 보죠?

헨리 8세는 캐서린의 시녀였던 앤 불린을 왕비로 맞이하려고 캐서린과의 이혼을 교황청에 청원했는데 거절당한 상태였어요. 그리고

▲「헨리 8세의 초상」_한스 홀바인이 영국 왕실의 궁정화가가 되어 그린 헨리 8세의 초상화다. 헨리 8
세는 홀바인을 궁정화가로 임명하면서 두 가지를 지킬 것을 명령했다. 하나는 자신의 초상화를 그릴
때는 힘과 권위를 강조하고 다른 하나는 장래 신부가 될 여인의 초상화를 그리는 것이었다. 헨리 8세
시대에는 왕가의 결혼으로 정치적 동맹을 맺을 수 있었고 다른 왕가와의 결혼은 국력 신장을 가져왔
다. 홀바인은 헨리 8세의 명령대로 왕의 초상화를 힘과 위엄이 넘치는 모습으로 표현해 신임을 얻었다.

▲장 드 댕트빌 대사_영국 주재 프랑스 대사로 이 초상화는 1533년 4월 이들의 런던 방문을 기념하기 위해 제작되었다.

이에 분노한 헨리 8세는 가톨릭과의 관계를 끊어버리겠다고 선언한 상황이었죠. 캐서린의 모국인 스페인은 당시 신성로마제국의 황제 자리를 차지할 만큼 위세를 떨치던 시기여서 교황청에서도 스페인의 눈치를 볼 수밖에 없었거든요. 잘못하면 전쟁으로 비화될 일촉즉발의 위기상황에서 이런 갈등을 해결하고자 가톨릭 국가였던 프랑스의 국왕이 중재에 나선 거예요. 그림을 살펴보면 막중한 임무를 부여받은 대사들의 비장하고 긴장된 모습이 여러 가지 알레고리와 함께 절묘하게 표현되어 있어요. 그래서 이 그림은 역사적 사건의 기록화 성격을 띠면서도 철학적이고 예술적인 미적 가치를 담고 있다는 평가를 받고 있어요. 그래서 지금은 '영국의 모나리자'로 불릴 만큼 최고의 미술작품으로 인정받고 있어요.

▲ **조르주 드 셀브 대사**_장 드 댕트빌 대사의 친구이자 라보르의 가톨릭 주교다. 그는 런던에서 헨리 8세의 이혼을 막기 위해 방문했다.

작가 한스 홀바인은 이 작품 안에 어떤 철학적 통찰을 담아냈나요?

그림에 어떤 소재들이 등장하는지 하나씩 들여다보죠. 먼저 두 명이 팔꿈치를 기댄 높은 탁자에는 천문학 관련 기구를 비롯해 여러 가지 물품들이 잔뜩 놓여 있고 그 아래 2단 탁자에는 지구의와 '류트'라는 악기와 악보, 수학책 등이 쌓여 있어요. 이 소품들만 봐도 이들이 다방면의 학식을 갖춘 인물임을 금방 알 수 있죠. 그리고 이 소재들 안에는 댕트빌 대사가 직무수행에 앞서 느끼고 있을 불안감과 우울함, 작가 스스로 표현하고자 했던 메시지를 암시하는 장치들이 숨어 있어요.

▲상단 선반에 라틴어로 적힌 시터의 나이와 같은 비정치적인 세부 사항도 작업 전반에 걸쳐 있다. 십자가는 그림 왼쪽 상단 모서리에 있는 녹색 커튼으로 절반쯤 가려져 교회의 분열상을 상징한다.

▲류트의 끊긴 현은 종교개혁 기간의 교회의 부조화를 불러 일으킨다. 류트 옆에 펼쳐진 음악책은 루터교 찬송가로 확인되었으며 수학책은 나눗셈이라는 단어로 분할을 암시하고 있다.

장치들이라고요? 저는 아직 모르겠는데 어떤 것인지 설명해주시죠.

이 작품에는 무척 많은 은유물, 다른 말로 알레고리를 포함하고 있는데요. 그중에서 중요한 몇 가지만 살펴보죠. 먼저 '류트'라는 악기와 그 옆에 있는 책을 주의 깊게 살펴보세요. 악기 두 줄이 끊겨 있고 잘 보이지는 않지만 펼쳐진 수학책은 '나눗셈' 부분을 보여주고 있어요. 악기는 '하모니'를 뜻하는데 줄이 끊겨 있다는 점, 나눗셈이 뜻하는 것은 영국과 교황청의 분열, 신교와 구교의 갈등상황을 상징해요. 그리고 이 그림에서 가장 대표적인 철학적 통찰이 담긴 부분은 중앙 아래 바닥에 있는 해골이라고 할 수 있어요.

해골이 있다고요? 저는 못 찾겠는데요.

얼핏 보면 잘 안 보이실 거예요. 정면에서 보면 그냥 일그러진 바게트 빵 정도로 보이거든요. 그런데 옆에서 주의 깊게 살펴보면 해골이라는 것을 알 수 있어요. 한마디로 비밀스럽게 숨겨 놓아 유심히 관찰하는 사람만 볼 수 있도록 한 것이죠. 참고로 이런 기법을 아나모르포시스(Anamorfosis)라고 하는데요. 사물의 형태를 왜곡해 보여준다는 뜻에서 우리 말로는 '왜상(歪像)기법'이라고 불러요. 서양에서는 오래전부터 죽음의 상징으로 해골을 그리곤 했는데요. 홀바인은 당대 권세를 부족함 없이 누리는 모든 사람들에게도 예외 없이 죽음이 찾아온다는 엄중한 경고를 그림에 남긴 거예요. 라틴어 경구로 표현하면 '죽음을 기억하라'는 '메멘토모리(Memento mori)'의 메시지가 담긴

▲「대사들」 정면 하단에 그려진 것은 해골이라고 한다. 하지만 아무리 살펴봐도 해골 모습은 보이지 않는다.

것이죠. 그리고 그림 왼쪽 가장자리 커튼 상단을 주의 깊게 살펴보면 보일 듯 말듯 십자가가 걸려 있어요. 이것이 작가가 전하려는 메시지를 담은 결정적 장치라고 할 수 있는데요. 정치적 갈등으로 번져나간 신·구교 간의 종교분쟁을 극복하고 참된 신앙을 되찾자는 메시지인 거예요.

설명을 듣고 보니 단순한 그림이 아니었네요.
정말 깊은 철학적 사유가 담긴 작품인 것 같아요.
이런 그림을 그린 한스 홀바인이 어떤 인물인지도 간단히 소개해주시죠.

●◀

한스 홀바인은 독일에서 활동한 화가였어요. 종교개혁 운동의 물결이 크게 번지면서 그 지역에 성상파괴 행위가 거세지자 화가로서 일감이 끊길 위기를 맞았어요. 어쩔 수 없이 영국으로 피신해온 홀바

▲「대사들」_그림 측면에서 바라보면 하단에 해골 모습이 선명하게 나타난다.

IOANNES HOLPENIVS BA: SILE

VI IPSIVS EFFIGIATOR   Æ

인은 그 실력을 인정받아 헨리 8세의 궁정화가가 된 건데요. 오늘날까지 서양 최고의 초상화가로 인정받고 있어요. 아마도 성상파괴 과정에서 얻은 고통의 경험, 국가 간 갈등과 여러 가지 복잡한 사회적 부조리를 궁정에서 직접 목격한 경험은 홀바인이 깊은 사유를 통한 통찰력을 지니는 데 도움이 되었다고 생각해요.

이 「대사들」을 통해 우리가 새롭게 생각해볼 수 있는 것은 무엇일까요?

이 그림이 오늘날 영국을 대표하는 명작으로 여겨지는 것은 정교하게 묘사된 화가의 기법뿐만 아니라 이 그림 안에 담긴 철학적 메시지 때문이라고 생각해요. 그중에서도 '메멘토모리', 즉 '네 죽음을 기억하라'라는 메시지는 우리 모두 한 번쯤 상기해야 할 메시지라고 할 수 있죠. 세상 모든 일이 그런 것 아닐까요? 지금 눈앞에 마주한 현실의 욕망이 너무 크면 아무것도 보이지 않기 마련이죠. 심지어 자신이 곧 죽는다는 운명의 순간조차 보이지 않을 거예요. '네 죽음을 기억하라'라는 말은 다르게 보면 '네 삶의 시간이 짧다는 것을 기억하라'라는 말이기도 해요. 이 짧은 시간을 어떻게 운영할지는 우리 각자 스스로 결정할 몫이겠지만. 저는 더 많이 웃고 더 많이 사랑하는 쪽을 선택하고 싶어요.

◀◀「한스 홀바인의 자화상」_영국에서 그의 혁명적인 초상화 기법으로 튜더 왕조의 궁정화가가 되어 최고의 예술가로 이름을 날렸다.

게오르그 기제의 초상

홀바인이 시도한 이 초상 방식은 당시 획기적이었다. 또한, 당시 많은 화가들이 옆면 초상화를 선호했는데 그 이유는 정면 얼굴보다 옆면 얼굴이 그리기 쉽고 이상화된 모습으로 표현할 수 있다는 장점 때문이었다. 홀바인은 증명사진과 같은 정면 초상화를 그렸고 영국에서 그린 「게오르그 기제의 초상」은 르네상스 초상화의 단면을 이루었다.

홀바인의 작품 중 「대사들」 외에 색다른 작품으로 무엇이 있나요?

이 작품은 한스 홀바인이 1532년 목판에 유화로 완성한 초상화로 가로 86cm, 세로 96cm예요. 현재 독일 베를린 국립미술관에 소장되어 있어요. 작품에 그려진 사물이 많아 한꺼번에 모두 설명하기는 힘들겠지만 개략적으로 살펴보면 중앙에 잘 생긴 청년 한 명이 비스듬이 앉아 테이블 위에 두 손을 얹고 관람객을 바라보고 있어요. 오른손에는 동전 하나를 쥐고 있고요. 왼손에는 편지를 접어 들고 있어요. 그리고 테이블 위에는 깃털 펜, 가위, 인장 등 여러 가지 사무용품들이 방금 사용한 것처럼 흩어져 있고요. 유리 화병에는 카네이션 몇 송이가 꽂혀 있어요. 그리고 옆과 뒤 벽면과 선반에는 여러 가지 물건들과 서류 등이 끼워져 있어요.

▲「**게오르그 기제의 초상**」**의 부분 그림**_화려한 붉은 비단옷 소매 끝의 게오르그 기제의 한손에는 편지, 한손에는 동전을 들고 있다. 책상 위 모든 물건들은 나름대로 상징물들로 그림 속 모델은 자신의 정확한 처지와 그가 바라는 이상을 상징하고 있다.

주변에 정말 많은 물건이 배치되어 있군요.
그런데 그림 속 주인공 게오르그 기제는 어떤 인물인가요?

게오르그 기제는 당시 매우 잘 나가던 부유한 상인으로 부유한 집에서 태어나 훌륭한 교육을 받았고 단순한 상인의 경지를 뛰어넘은 출중한 인재였어요. 그는 독일인으로서 런던의 '한자동맹' 지부를 담당하며 국제무역 중심부의 핵심적인 중추 역할을 한 매우 유능한 사업가였어요.

▲**한자동맹**_12~13세기 무렵 유럽에는 한자(Hansa)라는 편력상인(遍歷商人) 단체가 많았는데 14세기 중반에 이르자 그들 사이에서 '독일한자' 또는 '한자동맹'이라는 도시동맹(都市同盟)이 성장해 중세 상업사에서 커다란 역할을 하게 되었다.

게오르그 기제가 '한자동맹' 지부를 담당했다고 하셨는데
'한자동맹'이 무엇인지 좀 더 자세히 설명해주시겠어요?

한자(Hansa)동맹은 13~17세기 독일 북부를 중심으로 여러 도시들이 연합해 이루어진 '무역공동체'예요. 이 한자동맹은 상권 확장을 위한 해상교통 안전이나 공동방호 등을 목적으로 결성된 공동체로 자체 해군까지 보유해 교역로를 독점하고 막강한 힘을 발휘했기 때문에 단순한 상인집단이 아닌 그 이상의 거대한 공동체라고 할 수 있어요.

▲「에라스무스의 초상」_『우신예찬』 등의 저서로 당시 타락한 교회를 준엄하게 비판해 종교개혁의 불씨를 당긴 북유럽 르네상스의 가장 위대한 학자다.

▲「토마스 경의 초상」_홀바인이 에라스무스의 권유로 영국으로 건너가 토마스 경의 집에 머물며 그린 작품이다. 토마스 경은 불후의 명저 『유토피아』를 쓴 인문주의자이자 영국 정치가다.

게오르그 기제는 무척 젊어 보이는데 젊은 나이에 그런 막강한 조직의 지부를 책임지고 있었다니 대단한 사람이네요.

그러니 왕이나 귀족이 아닌데도 당시 궁정화가였던 한스 홀바인에게 자신의 초상화를 의뢰할 수 있었던 거예요. 16세기 북유럽에서는 지역간 해상 중계무역이 크게 번성하면서 일반 평민 중에서도 큰 부를 획득하거나 국가에 이익을 가져다주는 상인들이 등장했어요. 이들의 위상이 여느 귀족 못지않게 높았던 거예요. 한스 홀바인은 특히 '한자동맹' 런던 지부를 담당하던 상인들의 초상을 많이 그렸는데요. 이런 작품을 '스틸야드 초상화'라고 불러요.

▲「천문학자 니콜라 크라체」_천문학자였던 니콜라 크라체를 그린 초상화다. 그림 속 모델이 천체를 측정하는 도구와 컴퍼스를 손에 쥐고 있어 그가 천문학자임을 보여준다.

▲「상인 더크 티비스의 초상」_'스틸야드' 초상화의 전형으로 뒤스부르크에서 활동하는 상인의 초상화를 그린 작품이다. 상인은 메모를 가리키고 있는데 티비스의 이니셜 인장이 있다.

한스 홀바인이 그렸던 상인들의 초상화를 '스틸야드 초상화'라고 하는군요.
왜 이런 이름이 붙은 건가요?

런던에 설치된 한자동맹의 무역거래소이자 독일 상인 거주지역을 '스틸야드(Steelyard)'라고 불렀기 때문인데요. 스틸야드는 거대한 창고와 회의실, 강당까지 갖춰 중세 영국에서 가장 거대한 무역단지였어요. 스틸야드는 잉글랜드와 협력관계를 유지하는 독일 대사관과도 같은 역할을 담당해 당연히 이 스틸야드에서 잘 나가던 상인들은 막대한 부를 축적할 수 있었고 왕이나 귀족 못지않은 사회적 지위를 확보하고 있었어요.

▲**계약서가 있는 세부 사항**_거래명세서와 계약서 등 여러 가지 서류가 보관되어 있어 게오르그 기제가 뛰어난 상인임을 보여주고 있다.

보통 초상화는 인물에 집중할 수 있도록 뒷배경을 단순하게 처리하는데 「게오르그 기제의 초상」에는 어수선하다고 할 정도로 주변에 많은 물건이 배열되어 있어요. 특별한 이유라도 있나요?

●◀▶

그 점이 주변 사물을 통해 초상화의 주인공 인물을 설명하는 한스 홀바인의 독특한 기법이라고 할 수 있죠. 먼저 고급스러운 아랍산 양탄자가 깔린 테이블 위의 가위나 깃털 펜 등은 열정적으로 일하는 사무실을 보여주고 테이블 맨 앞에 놓인 시계와 뒤에 걸린 저울은 상인이 갖춰야 할 가장 중요한 덕목인 정확성과 신뢰를 강조해요.

그리고 옆 벽면에 꽂힌 거래명세서와 계약서 등은 이 청년의 탁월한 수완을 보여주는 거래실적 등을 보여주고 청년이 손에 쥔 편지에는 그의 주소가 표시되어 있어요.

그림 속 사물을 통해 인물의 됨됨이를 보여주고 있다는 것이 정말 재미있네요.
약혼자에게 자신을 과시하는 것과 카네이션은 무슨 관련이 있나요?

당시 이 지역에서 카네이션은 결혼 약속을 상징하는 꽃이었거든요. 게오르그 기제는 결혼을 약속한 아름다운 독일 아가씨 크리스터 크루거에게 자신의 성공한 모습을 자랑하며 자신이 이렇게 훌륭한 사람이라는 것을 보여주기 위해 이 작품을 의뢰했던 것이죠.

뒤쪽 벽면에 붙은 메모지에 적힌 글씨가 매우 선명하게 보이는데요.
어떤 의미가 있는 글인가요?

한스 홀바인의 초상화에는 의미를 나타내지 않는 사물은 등장하지 않아요. 메모지에 적힌 글은 이 그림의 주인공 모델 게오르그 기제에 관한 내용으로 다음과 같아요. '이 그림은 게오르그 기제의 얼굴과 외모를 보여준다. 그의 눈과 뺨이 너무나 생생하지 않은가. 1532년 그의 나이 34세에.' 한마디로 이 그림을 설명하는 글이죠. 그리고 자세히 보면 기제의 오른쪽 어깨 위 벽면에 흰색 글씨가 또 적혀 있어요. 이것은 라틴어로 "슬픔 없이는 기쁨도 없다"라는 말이에요. 이 말은 이 청년이 평소 지니던 좌우명이에요.

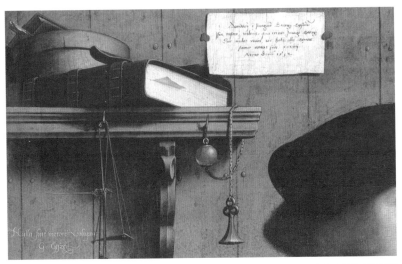

▲라틴어 시 문구가 적힌 세부 사항_"슬픔 없이는 기쁨도 없다"라는 시 문구가 홀바인의 좌우명처럼 붙어 있다.

"슬픔 없이는 기쁨도 없다", 멋진 말이네요.
이른 나이에 세계를 무대로 진출해 다양한 경험과 수많은 위기를 극복하고
역경을 도약의 기회로 바꾼 그의 삶에 대한 적극적인 태도가
고스란히 나타나 있는 것 같아요. 그런데 당시에도 궁정화가였던
한스 홀바인이 왕이나 귀족이 아닌 일반 평민계급의 상인을
이렇게 위풍당당하고 멋진 모습으로 그린 것을 어떻게 해석해야 할까요?

한스 홀바인은 사람을 평가할 때 신분의 귀천을 떠나 자기 일에 대한 전문성과 삶에 대한 태도나 인생관을 더 중요하게 생각했다고 봐야겠죠. 그래서 한스 홀바인이 이 작품을 그리면서 작품 속 주인공을 어느 왕이나 귀족 못지않게 위풍당당하고 고귀한 모습으로 표현해놓은 거예요.

이 작품 속 주인공 게오르그 기제도 멋있지만
그의 참모습을 그려준 한스 홀바인도 정말 대단하다는 생각이 드네요.
무슨 일을 하든 그 일에 대한 자부심을 갖고 탁월한 전문성을 발휘하고
훌륭한 인생관을 갖고 살아가는 게 정말 중요한 것 같아요.

이 초상화가 유명한 이유도 거기에 있어요. 물론 한스 홀바인의 섬세한 필치도 압권이지만 그보다 이 그림에 나타난 이런 훌륭한 정신 때문에 더 가치 있는 작품이라고 할 수 있어요. 지금이라면 몰라도 당시 16세기는 태어나면서 귀족은 귀족이고 평민은 평민이던 시대였어요. 그럼에도 불구하고 평민으로서 자신의 분야에서 탁월한 역량을 발휘하고 두각을 나타냈던

▲「게오르그 기제의 초상」의 세부 사항_
카네이션은 결혼을 약속하는 꽃으로 그가 결혼을 앞두고 있었음을 보여준다.

이들이 결국 나라 경제를 부흥시키고 국민의 삶의 질을 높여줬잖아요? 이들은 자신이 하는 일을 사랑했고 자신이 하는 일에 강한 자부심을 가졌어요. 그랬기 때문에 상인으로서의 직업적 덕목을 철저히 지키면서 성공할 수 있었던 거예요. 또한, 이 그림의 화가 한스 홀바인도 그들과 다르지 않았다는 것을 알 수 있어요. 그도 자신이 하는 화업에 열중했고 그 일을 사랑하고 예술가로서의 인생관도 뚜렷하다는 것을 그가 남긴 작품을 보면 알 수 있거든요. 시대와 사회를 막론하고 이 세계를 이끌어가는 사람들은 이런 사람들이라고 생각해요.

홀바인의 걸작 중 하나만 더 소개한다면 어떤 작품일까요?

한스 홀바인의 작품 중 「관 속의 그리스도」는 문제작이자 홀바인의
걸작이죠. 이 그림은 관 속의 죽은 그리스도를 묘사하고 있어요. 그
림 속에서 십자가에 못 박히며 수난을 당한 그리스도의 세 가지 상
처가 보여요. 폭행당하고 비틀거린 모습이 역력히 연상되는 가운데
그리스도는 손가락을 펴 뭔가를 전하려는 모습이에요. 그것은 삼위
일체인 '하느님을 믿는다'라는 표시예요. 홀바인의 독창적인 구성이

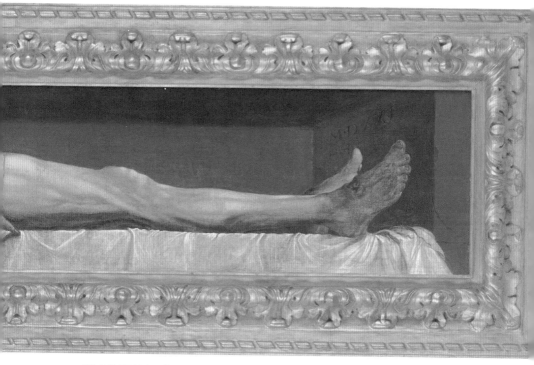

▲「관 속의 그리스도」_홀바인의 걸작이자 문제작으로 신성한 그리스도의 모습을 인간의 진정한 모습으로 표현하고 있다.

돋보이는 이 그림의 주제는 그의 신앙에서 찾을 수 있어요. 홀바인은 종교개혁 시기에 개신교 개혁가들의 가르침을 받아들여 스위스 바젤로 나가 화가활동을 시작해 영국으로 건너가 튜더 왕조의 헨리 8세를 비롯한 그의 왕비 제인 시모어, 클레페의 앤, 에드워드 6세 등 왕가의 초상을 남긴, 영국 역사나 미술사에서 업적을 쌓은 예술가예요.

친절한 미술관

퐁파두르 부인의 초상

로코코 미술의 시초를 열었다는 와토에 이어 로코코의 절정기를 이룬 화가로 프랑수아 부셰(Francois Boucher, 1703 ~ 1770)의 힘이 절대적이었다. 부셰가 로코코 미술의 거장이 될 수 있었던 것은 루이 15세의 애첩 마담 퐁파두르의 역할이 컸다. 퐁파두르는 볼테르와 같은 계몽주의 철학자들을 지지하고 보수적인 가톨릭과 왕당파들이 금서로 규정한 백과전서를 출판할 수 있도록 도와주었다. 이처럼 새로운 사상과 문화, 예술의 취향을 선도한 퐁파두르 부인이야말로 로코코 문화의 절대적 후원자였다.

**그림 속에 보이는 이 여인이 바로 퐁파두르 부인이군요.
무척 화려하고 예쁜 그림인데요. 어떤 작품인지 설명 부탁드립니다.**

●◗

이 작품은 18세기 프랑스 궁정화가였던 부셰가 루이 15세의 여인이던 퐁파두르 부인을 캔버스에 유화로 그린 작품인데요. 크기는 가로 157cm, 세로 2m가량의 비교적 큰 사이즈의 작품이고요. 현재 독일 뮌헨 알테 피나코테크(Alte Pinakothek) 미술관에 소장되어 있어요. 화면을 보시면 젊고 아름다운 여인이 분홍색 장미송이들로 예쁘게 장식된 청록색 드레스를 입고 왼팔은 안락의자에 걸친 채 몸을 기대고 앉아 있는데요. 드레스 가슴팍 부분과 소매 단 부분에 분홍색 리본이 장식되어 더 화려해 보여요. 독서를 하고 있었는지 진주 팔찌를

▲「**화장하는 퐁파두르 부인**」_프랑수아 부셰의 작품으로 부셰는 퐁파두르 부인의 전속화가로 그녀의 예술정책을 잘 반영했고 로코코 미술의 거장으로 손꼽힌다.

찬 오른손은 펼쳐진 책을 쥐고 있고 여인 뒤쪽에는 책장을 겸한 시계가 놓여 있고 '사랑의 신' 큐피드 조각이 장식되어 있고 그 양 옆에는 번쩍이는 황금색 휘장이 드리워져 있어요. 그리고 여인의 드레스 자락 아래로 예쁘게 발을 모은 분홍색 구두가 살짝 드러나 있네요. 그 발 앞 바닥에는 분홍색 장미 두 송이가 놓여 있어요.

▲「사냥의 여신」 디아나로 분장한 퐁파두르 부인」_초상화가 마크 나티에의 작품으로 그는 고전적인 신화 복장으로 루이 15세의 궁정 여성들의 초상화로 유명하다.

정말 화려하고 예쁜 그림이네요.
그런데 여인의 발치에 놓인 장미 두 송이가 무척 인상적이네요.
아무리 예쁜 장미꽃도 이 여인의 아름다움 앞에서는 수줍다는 표현일까요?

재미있는 해석이네요. 그림 속 주인공 퐁파두르 부인의 미모는 잘 알려져 있는데요. 그녀의 미모가 도대체 어느 정도였는지 당시 루이 15세의 최측근이던 세베르니 백작의 평을 잠시 읽어드릴게요.

"남자라면 누구나 그녀를 애인으로 삼지 않고선 못 배겼을 것이다. 적당히 훤칠한 키, 아름다운 자태, 부드러운 얼굴선, 오목조목 균형 잡힌 이목구비, 눈부신 피부, 미끈한 손발, 크지는 않지만 생

▲**로브 아 라 프랑세즈**_18세기 중반의 여성복을 상징하는 드레스로 프랑스풍 드레스라는 뜻이다. 앞트임 형식의 중앙에서 장식적인 가슴바대와 언더 스커트가 보인다.

기와 재치가 넘쳐 흐르는 세상에서 가장 빛나는 두 눈을 가졌고 몸동작 하나하나까지 그녀는 완벽한 조화를 이루고 있었다. 궁중 안에 아무리 소문난 미인도 그녀를 능가할 여인이 없었다."

세베르니 백작은 루이 15세의 최측근이라고 하셨는데 왕이 사랑하는 여인에 대한 아부성 의도가 담긴 평 아닌가요?

●●●

물론 아부성 의도가 전혀 없었던 것은 아니겠지만 근거가 전혀 없었던 것은 아닌 것 같아요. 퐁파두르는 당시 최고의 미모를 자랑했고 많은 이들의 선망인 대상이었는데요. 아름다운 얼굴에 잘 어울리도록 머리를 부풀리지 않고 깨끗이 땋아 단정히 말아 올린 헤어 스타일은 퐁파두르 스타일로 불리며 오랜 기간 프랑스 여인들 사이에서

▶폼파두르 부인의 도자기_폼파두르 부인이 후원한 세브르 도자기는 유럽 최고의 도자기가 되어 오늘날에도 명성을 떨치고 있다.

유행했어요. 지금 입고 있는 화려한 청록색 드레스도 '로브 아 라 프 랑세즈'로 로코코 시대를 대표하는 의상이 되었을 정도로 유행했어요. 또한, 폼파두르 부인이 좋아했던 짙은 분홍색 계열의 장미꽃 품종에 '폼파두르'라는 이름을 붙이기도 했어요. 한마디로 폼파두르는 당시 최고의 미녀이자 최고의 패션 리더였어요.

이렇게 눈부시도록 아름다운 폼파두르 부인이 어떤 사람이었는지도 궁금해지네요.

폼파두르 부인(Madame de Pompadour, 1721~1764)은 1721년 프랑스의 비교적 부유한 평민 가정에서 태어났는데 그녀의 아름다움은 어머니로부터 물려받았다네요. 그녀는 23세 때 루이 15세의 눈에 들어 왕의 애첩이 되었는데 처음 궁에 들어가서는 귀족 출신이 아니라는 이유로 귀족들의 온갖 멸시와 질투에 시달려야 했어요. 그럼에도 불구하고 그녀는 루이 15세의 사랑을 독차지하며 어느새 왕의 공식 정부가 되었어요.

공식 정부라고요? 그럼 애첩과 공식 정부는 다른 건가요?

●❶❶

당시 부르봉 왕조에는 특이한 제도가 있었는데 왕의 여러 애첩 중 정부에서 공식 직함을 부여하는 한 명의 정부가 있었어요. 단지 많은 애첩 중 한 명에게 주어지는 신분일 거라고 짐작하시겠지만 그렇지 않아요. 이 직함은 정부에서 급료와 연금이 지급되는 정식 직급인데요. 예술과 문화 관련 업무나 외교사절을 접견하거나 왕의 건강이나 기분을 헤아리고 돌보는 공식 직위예요. 그래서 퐁파두르는 후작으로서 작위와 영지를 받은 어엿한 '후작 부인'이 되었죠.

지금으로 치면 애인이자 비서실장 정도 되겠네요.
어쨌든 국가의 여러 업무, 특히 공식적인 외교 업무 등을 수행하기 위해서는
그만한 지성과 교양이 필요했을 것 같은데요.
퐁파두르 부인은 미모만큼 그런 면에서도 뛰어난 인물이었나 보군요.

●❶❶

우스갯소리로 연애고수들이 자주 하는 말이 있는데요. "미모로 낚아 지성으로 묶어둬라"라는 말이 퐁파두르 부인에게 꼭 맞는 표현 같아요. 이 그림에서도 퐁파두르의 오른손에 책을 들고 있듯이 그녀는 문학과 예술에 대한 풍부한 지식을 지녔다는데 역사학자들의 말에 따르면 그녀는 서재에 무려 3,500권 이상을 보유할 만큼 독서를 즐겼다고 해요. 루이 15세는 처음에 이 여인의 미모에 반해 좋아했지만 나중에는 시원하게 말이 잘 통하는 지성과 내면의 깊이 때문에 더 신뢰하고 좋아했던 거예요. 퐁파두르는 공적 업무 처리에서도 탁

▲**퐁파두르 부인**_말년의 그녀 초상이다. 로코코 전기부터 중기까지의 화려한 전성기를 대표하는 여인이다. 복식인 로브 아 라 프랑세즈는 루이 16세 시대까지 프랑스 궁정의 공식 예복이었고 퐁파두르 부인은 당시 유행을 좌지우지했다.

월한 능력을 발휘했고 예술과 문학을 후원해 프랑스 문화를 꽃피울 기반을 조성했지만 아쉽게도 43세 젊은 나이에 병으로 요절하고 말았어요.

과중한 격무와 스트레스에 시달렸나 보군요.
갑자기 '미인박명'이라는 말이 생각나네요.

●●

사실 그녀의 직분은 정치를 좌지우지할 만큼 권세를 누릴 수 있는 자리였지만 그렇다고 결코 편한 자리는 아니었던 것 같아요. 공식적으로 처리해야 할 업무와 스트레스가 무척 많았고 왕을 위해 늘 아름다운 모습을 유지해야 했으니 얼마나 힘들었겠어요? 이 그림에서도 지금 코르셋으로 허리를 엄청나게 꽉 조이고 앉아 그리 편안한 상태가 아니라는 것이 자세와 얼굴 표정에 드러나 있죠? 그녀는 이런 상태로 매일 왕과 식사를 했는데요. 당시 프랑스에서는 왕과 식사할 때 음식을 남기는 것은 무례한 행동으로 여겼다네요. 그래서 이런 복장으로 차려진 음식을 모두 먹어야 하는 것도 여인에게는 힘든 일이었을 것 같아요.

이 그림이 '로코코'를 대표하는 그림이라고 하셨는데요.
'로코코 양식', 로코코풍 이런 말들은 많이 들어봤는데요.
미술에서 '로코코'는 어떤 양식을 말하나요?

●●

로코코(Rococo)는 루이 15세가 통치하던 18세기 프랑스에서 유행하던 미술 사조로 원래 조약돌이나 조개로 장식하는 것을 지칭하는 '로카이유(Rocaille)'라는 단어에서 왔어요. 사람들은 로코코 양식을 말

▲**로코코풍의 실내 장식**_1730년대 파리를 중심으로 루이 15세 스타일인 귀족적 로코코 문화가 미술, 건축, 음악 등 다양한 분야에서 화려하게 꽃피었다.

을 말할 때마다 늘 바로크 양식과 비교했는데 바로크 양식이 남성적이고 장중하고 연극적이었던 반면, 로코코 양식은 여성적이고 화려하면서도 장식적이었죠. 로코코 양식의 대표적인 특징 몇 가지를 더 들자면 귀족 중심의 예술 양식이면서 퇴폐적이고 향락적이면서 조잡스럽기까지 하다는 부정적 평가도 있어요. 하지만 오늘날 관점에서 보면 미적으로 상당히 탁월하고 아름다운 양식이라고 볼 수 있어요. 이 작품을 보더라도 화려하지만 어느 시대 미술 양식 못지않게 아름답잖아요? 물론 이 작품 속 주인공 퐁파두르 부인이 더 아름답죠.

▲**루이 15세의 초상**_루이 14세의 증손자로 5세 때 왕좌에 올랐다.

▲**마담 퐁파두르의 초상**_부셰가 그린 퐁파두르 초상 중 유독 청순미가 돋보이는 작품이다.

이 그림을 그린 프랑수아 부셰라는 작가에 대해서도 설명해주세요.

부셰는 파리에서 태어나 레이스 디자이너인 아버지로부터 미술의 기본기를 배웠어요. 당시 프랑스 화가들이 대부분 그랬듯이 이탈리아로 건너가 미술공부를 했어요. 프랑스로 돌아온 부셰는 보시다시피 퐁파두르 부인을 주로 그리면서 왕립 미술아카데미 회장직도 맡고 프랑스 미술의 중심인물이 되어 프랑스 로코코 양식을 발전시키는 데 큰 영향을 미쳤어요. 그의 작품 특징을 보면 우아하고 세련되면서도 경쾌한 느낌이에요. 작품을 보는 이들이 미묘한 색채와 품위 있는 형태, 뛰어난 기교에 빠지게 만드는 매력을 지녔죠. 그래서 사람들이 부셰를 로코코 양식을 완성한 화가라고 부르는 거예요.

▲**마담 퐁파두르의 초상**_부세의 작품으로 퐁파
두르는 로코코 문화의 후원자였다.

▲**프랑수아 부셰의 자화상**_퐁파두르의 전속화
가로 마담의 후원으로 궁정화가로 임명되었다.

끝으로 「퐁파두르 부인의 초상」에 대해 정리해주시죠.

세계에서 가장 아름답고 똑똑하고 부귀영화를 누렸다는 이 「퐁파두
르 부인의 초상」을 들여다보고 있으면 화려해 보이는 게 꼭 좋은 것
인지 의문이 들어요. 아름답고 유능해 최고 권력의 중심에 있더라도
그것이 "꼭 좋기만 한 걸까?", "그녀는 과연 행복했을까?"라는 회의
적인 생각 말이죠. 그래서인지 오늘은 화려할 것도 잘난 것도 없는
평범한 현재의 내 삶에 새삼 감사를 느끼게 되네요.

친절한 미술관

카르멘으로 분장한 에밀 앙브르의 초상

쿠르베의 사실주의로부터 기존 가치를 부정하는 새로운 예술이 등장했지만 그의 화풍은 전통적인 화풍을 그대로 계승한 것이었다. 반면, 인상주의 화풍은 전통과 단절을 통해 성취된다. 이런 인상주의 화풍의 선구자가 바로 에두아르 마네(Edouard Manet, 1832 ~ 1883)였다. 그는 당시 프랑스 화단의 문제아로 파격적인 작품으로 물의를 일으켰으며 새로운 화풍을 추구했다. 그의 독특한 화풍이 「에밀 앙브르의 초상」에서 잘 드러난다.

이 작품은 우리나라에서 전시된 것 같은데 누구의 작품인가요?

●●

2010년으로 기억하는데요. 미국 필라델피아 미술관이 소장한 작품 중 약 100점을 들여와 선보였던 '모네에서 피카소까지'라는 전시회가 개최된 적이 있죠. 그때 전시되었던 작품 맞아요. '인상주의의 서막을 열어준 작가'라는 별명의, 프랑스 작가 에두아르 마네의 「카르멘으로 분장한 에밀 앙브르의 초상」이라는 작품이에요.

색감이 화려하고 독특해서 깊은 인상을 받았던 기억이 나네요.
어떤 작품인지 이미지 설명부터 간단히 해주시죠.

●●

이 작품은 마네가 48세 되던 해 캔버스에 유채로 그린 그림으로 가로, 세로 약 1m가 약간 안 돼요. 「카르멘으로 분장한 에밀 앙브르의

초상」이라는 제목에서 알 수 있듯이 오페라 「카르멘」의 주인공을 그린 그림이고요. 방금 설명드린 것처럼 현재 미국 필라델피아 미술관에 소장되어 있어요. 그림을 보면 화폭을 가득 채운 여배우의 초상이 그려져 있는데요. 하늘색 드레스 위에 붉은 볼레로 재킷을 받쳐 입고 붉은 장미를 수놓은 머리띠로 올림머리를 묶은 머리에서 어깨 부위까지 흰색 레이스의 쓰개, 즉 '만틸라'를 두른 모습이죠. 여인은 춤추는 듯 몸을 살짝 비튼 자세로 두 손을 허리에 모은 채 오른손에는 부채를 들고 금방이라도 펄럭일 듯한 자세예요. 그리고 유난히 커 보이는 눈동자는 관람객을 살짝 외면하듯 옆을 향해 더 관능적인 아름다움을 발산하고 있어요.

**그림 속 주인공이 오페라 「카르멘」의 주인공이라고 하셨는데요.
어떤 작품인지 간단히 설명해주세요.**

오페라 「카르멘」은 세계 3대 오페라에 손꼽힐 만큼 유명한 작품인데요. 프랑스 작가 프로스페스 메리메가 1830년대 발표한 소설을 바탕으로 작곡가 조르주 비제(Georges Bizet)가 오페라 극으로 만든 작품이에요. 오페라를 극화하는 과정에서 원작 내용과 조금 달라졌지만요. 스페인 세비야를 무대로 했다는 이 유명한 오페라의 줄거리를 간략히 설명드릴게요.

담배공장에서 일하던 카르멘은 동료 여직공과 다투다가 상처를 입히고 체포되는데 그녀를 감시하던 군인 돈 호세를 유혹해 도망

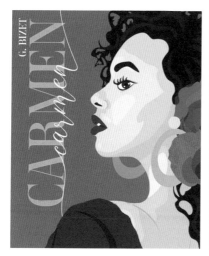

▲오페라 「카르멘」 포스터_전 세계에서 베르디의 「라 트라비아타」와 함께 극장에 많이 올려지는 레퍼토리다.

치고 돈 호세는 그 벌로 대신 감옥살이까지 한다.

약혼자까지 있던 돈 호세였지만 이후에도 그는 카르멘의 매력에 사로잡혀 부대를 이탈해 이전 삶과 전혀 다른 범죄자의 삶을 살게 된다. 하지만 자유연애주의자 카르멘은 이런저런 핑계를 대며 돈 호세의 마음을 안타깝게 만든다.

병상의 어머니 소식에 돈 호세는 잠시 카르멘으로부터 잠시 벗어나지만 결국 그녀를 잊지 못하고 다시 찾아온다. 그러나 카르멘의 마음이 유명 투우사에게 이미 기운 것을 확인한 돈 호세는 절망에 빠진다. 반복되는 죄의식과 번민 속에서도 호세는 끝까지 카르멘을 붙잡으려고 애쓰지만 냉정하게 거절당하자 결국 이성을 잃

▲오페라 「카르멘」의 한 장면

고 그녀를 칼로 찔러 숨지게 한다. 그리고 돈 호세가 그녀의 시신 앞에서 자신을 체포해달라고 오열하며 오페라 극은 끝난다.

요약하면 '돈 호세라는 촉망받는 젊은 군인이 카르멘이라는 여자 집시에게 반해 자신의 모든 것을 잃고 결국 그녀를 살해하고 파멸을 맞는다는 줄거리로 팜므파탈의 전형을 보여줘요.

지금 '팜므파탈'의 전형이라고 하셨는데요.
'팜므파탈'이라는 말은 많이 들어봤는데 정확히 무엇을 의미하나요?

보통 많은 사람들은 '팜므파탈'이라는 말을 들으면 화장이 진하고 야한 옷을 입고 유혹적이고 관능미 넘치는 '요부' 이미지를 떠올리죠. 하지만 '팜므파탈'은 꼭 그런 것만은 아니에요.

팜므파탈_남성을 파멸로 이끄는 여성을 가리키는 말. 19세기 낭만주의 작가들에 의해 문학작품에 등장하기 시작한 이후 미술·연극·영화 등 다양한 장르로 확산되었다.

팜므파탈은 프랑스어로 '여성'을 뜻하는 'Femme 팜므'와 '숙명적인' 또는 '운명적인'이라는 뜻의 'Fatal 파탈'이 합쳐진 단어로 상대방 남성을 유혹해 죽음이나 고통 등 극한 상황으로 치닫게 만드는 '운명의 여인'을 뜻하는 사회심리학 용어예요. 다시 말해 본인의 의지와 상관없이 자신이 지닌 매력으로 상대방 남성을 파멸적인 운명으로 이끄는 '파멸적인 여성', '치명적인 여성'을 뜻해요.

이런 팜므파탈의 전형적인 모델을 찾기가 쉽지 않았을 것 같은데요. 그림 속 「카르멘」의 주인공 이 모델은 어떤 사람인가요?

이 작품 속 아름다운 모델은 실제 오페라극 「카르멘」에서 주인공 카르멘 역을 맡은 당대 프랑스 최고 배우 에밀 앙브르라는 여성인데요. 배우가 되기 전에는 네덜란드 국왕의 공식 애인이었을 정도로 빼어난 미모를 지녔고요. 뛰어난 연기로 관객들로부터 열렬한 사랑

▲에밀 앙브르(Emilie Ambre, 1849~1898)_유럽과 북미에서 주요 소프라노 역할을 수행하고 훗날 노래 교사가 된 프랑스 오페라 가수였다. 그녀는 특히 비올레타, 마농, 아이다로서의 공연으로 유명했지만 오늘날에는 주로 에두아르 마네의 「카르멘」 초상화의 주제로 기억되고 있다.

을 받았어요. 에밀 앙브르는 마네가 지병으로 몸이 많이 쇠약해져 파리 교외 온천으로 요양갔을 때 이 그림을 의뢰했다고 해요. 마네는 인상주의의 거장답게 「카르멘」이라는 집시 여인이 발산하는 강한 에너지를 유감없이 화폭에 담아냈는데요. 마네 특유의 굵고 시원시원한 붓 터치로 과감히 윤곽을 흩트리고 강한 측면 조명에 의한 명암처리를 통해 마치 무대에서 조명을 받으며 공연하는 듯한 생동감을 표현했어요.

「카르멘」에 수록된 유명한 곡들이 많은데요. 어떤 곡을 소개해주실 수 있나요?

「카르멘」에 수록된 유명한 곡들이 정말 많죠. 그중에서 '하바네라'는 쿠바에서 시작되어 스페인에서 유행한 민속 춤곡인데요. 매혹적인

▲「크리스탈 꽃병에 담긴 꽃」_마네의 말년 작품으로 건강이 악화되자 그는 주로 정물화를 그렸다. 그러면서도 페미니스트 예술에 많은 빚을 진 그는 아름다운 여인, 즉 자신의 뮤즈를 찾는 데 변함이 없었다고 한다.

집시여인 카르멘의 이미지를 상징적으로 보여주는 아리아죠. '투우사의 노래'나 집시의 노래로 알려진 '보헤미안 댄스' 등도 좋지만 저는 '하바네라'가 카르멘을 가장 잘 부각시키는 노래 같아요.

에두아르 마네가 이 그림을 그릴 때 몸이 많이 아팠다고 하셨는데요. 하지만 그림에서 느껴지는 강한 에너지 때문인지 아픈 사람이 그린 그림이라곤 전혀 느껴지지 않아요.

당시 마네는 가슴과 다리에 통증을 호소하는 지병을 앓고 있었는데 신기하게도 아름다운 여인과 함께 있을 때만큼은 전혀 아프지 않고 생의 기쁨과 활력을 되찾았다고 해요. 한마디로 아프다가도 예쁜 여성이 눈앞에 나타나면 아픈 데가 다 사라지고 멀쩡해졌다는 거예요.

▲「음악원에서」_마네의 마지막 주요 작품 중 하나로 공공장소의 세련된 커플을 묘사하고 있다.

이 점은 마네의 주변 친구들이 한결같이 증언했어요. 좀 못 말리죠. 이 그림을 그린 것도 온천이 있는 파리 교외로 요양갔을 때였고 게다가 마네는 이 그림을 완성한 지 3년 후 사망할 정도로 몸이 쇠약해진 상태였어요. 그럼에도 불구하고 마네는 아름다운 모델 에밀 앙브르를 바라보는 이 순간만큼은 강한 에너지를 얻을 수 있었고 그 에너지가 작품에 고스란히 담긴 것이죠.

어떻게 아픈 사람이 아름다운 여성 앞에서는
저렇게 멀쩡하다 못해 힘이 넘칠 수 있을까요?
정말 못 말리는 이런 현상을 과학적으로 어떻게 설명할 수 있을까요?

● ◗ ◗

이런 현상을 과학에서는 '엔돌핀 효과'라고 하지 않나요? 사람마다 정도 차이는 있겠지만 누구에게나 있을 수 있는 상황 같아요. 어떤 사람은 기도할 때만큼은 갑자기 에너지가 생겨 아팠던 몸이 낫고 어떤 사람은 보고 싶었던 가족을 만났을 때 병환이 싹 씻겨나가고 어떤 사람은 뜻밖의 기분 좋은 일, 예를 들어 원하던 직장이나 학교에 합격했을 때 아팠던 몸이 확 나을 수 있겠죠. 특히 마네는 아름다움을 구현하는 화가이다 보니 아름다운 사람을 보면 예술적 영감이 솟구쳐 기분이 좋아지고 그러다 보면 자신의 몸을 괴롭히던 통증도 일시적이나마 잊을 수 있었다고 생각해요.

이 작품을 통해 우리가 새롭게
생각해볼 수 있는 것은 무엇일까요?

이 작품을 보고 있으면 이 작품 속 모델에게서 두 가지 상반된 아름다움을 발견할 수 있어요. 하나는 이 그림 「카르멘」과 같은 한 남성의 운명에 치명상을 입힐 만큼 파멸적인 아름다움, 즉 팜므파탈의 아름다움이고 또 하나는 지병으로 고통받던 화가 마네가 몸의 통증마저 잊게 만든 아름다운 여인 에밀 앙브르의 활기찬 아름다움이죠. 같은 아름다움도 이렇게 긍정적, 부정적 요소를 모두 포함하고 있어요. 그래서 자신만의 고유한 매력이나 아름다움은 늘 이타적인 것이 되어야 한다고 생각해요. 자신의 아름다움을 이용해 자신의 이기적인 욕망만 채우려고 한다면 어느 순간 그 아름다움이 자신까지 파멸시키니까요. 여러분은 자신의 아름다운 매력에도 책임의식을 갖고 이타적으로 활용하시길 바랍니다.

오르가스 백작의 매장

엘 그레코(El Greco, 1541(?) ~ 1614)는 길쭉한 신체의 마니에리즘 양식의 전형을 완성했다. 18세기 계몽주의 시대에는 미친 화가로 불리기도 했던 그는 19세기 낭만주의와 함께 그의 작품과 천재성이 재평가받았지만 그의 화풍을 광기나 병적 상상력과 연결시키려는 시도는 여전했다. 그러나 현대의 전위적 화가들은 그의 독보적인 상상력에 매료되었다.

이 그림을 보니 우선 등장인물이 무척 많네요.
그리고 화면 중앙에 구름이나 바위 같은 물체가 보이는데요.
이것에 의해 위아래가 뚜렷이 나뉘고
위아래의 분위기가 많이 달라 보이는데요.
이 작품의 대략적인 설명 부탁드립니다.

이 그림은 엘 그레코의 작품으로 크기는 세로 4m 8cm, 가로 3m 6cm나 되고요. 현재 스페인 톨레도에 있는 산토 토메 성당 입구의 곤잘레스 백작의 관이 묻힌 무덤 뒤 벽에 걸려 있어요. 이 작품은 톨레도 오르가스에 살았던 돈 곤잘레스 백작의 장례식을 소재로 다루어 제목이 「오르가스 백작의 매장」이 된 거예요. 천상세계를 다룬 윗부분과 지상세계를 다룬 아랫부분이 명확히 구분되어 있죠. 먼저 아랫부분의 오른쪽에 주례 사제가 보이고 가운데에는 화려한 황금색 옷을 입은 두 명이 죽은 이를 안고 입관하고 그 주위로는 장례식에 참석

한 많은 사람들이 배치되어 있어요. 그리고 화면 중앙에 위아래를 연결하는 작은 통로가 보이는데요. 통로 바로 아래에는 아래에서 위쪽으로 뭔가를 건져 올리려는 듯한 천사가 보여요. 그리고 위쪽 천상세계 부분에는 통로 주변 왼쪽에 앉아 있는 성모 마리아와 베드로 사도 오른쪽에는 세례자 요한과 많은 천상의 인물들이 그려져 있고 그림 맨 위쪽 중앙에 예수님의 모습이 그려져 있어요.

이 장례식 장면은 일반적인 장례식보다 무척 화려해 보여요.
황금색 옷을 입은 두 명이 시신을 직접 안치하는 모습이나 위쪽에 자리한 성인들이
이 모습을 지켜보는 것을 보면 평범한 사람의 장례식은 아닌 것 같아요.

이 작품은 오르가스에 살던 곤잘레스 백작이 사망한 지 250년도 더 지난 1588년에 그려졌는데요. 황금색 옷을 입고 시신을 안치하는 두 인물은 아우구스티누스 성인과 교회 최초의 순교자 스테파노 성인 이에요. 백작의 영혼은 아기와 같은 모습으로 천사에게 안겨 천상의 입구로 들어가고 있는데요. 천상의 세계에는 엄청나게 많은 성인들이 단체로 등장해 지상에서부터 올려지는 백작의 영혼을 환대하는 듯한 분위기가 고조되어 있어요.

성인들이 시신을 직접 안치해주고 천상에서는 영혼을 환호하며 맞이하는 모습이라면
모든 기독교 신앙인들이 꿈꾸는 모습이라는 생각이 드네요.

곤잘레스 백작은 생전 자신이 가진 것들을 가난한 사람들과 나누는 삶을 통해 사람들의 존경과 사랑을 한 몸에 받았어요. 누구보다 신

▲「오르가스 백작의 매장」_톨레도 산토 토메 교회 안에 소장되어 있다.

앙심이 돈독했던 백작은 1323년 사망 전 유언을 통해 교회에 공식적으로 약속했는데 자신이 죽은 후에도 매년 800냥을 헌금하고 두 수레 분량의 땔감과 양 두 마리, 닭 16마리, 미사주 두 병을 교회와 수도회에 봉헌하겠다는 것이었어요.

굉장하네요.

●

그렇죠? 교회 측에서는 이에 대한 감사의 뜻으로 정성껏 장례를 치러주고 교회 입구에 그의 시신을 매장해주었다고 해요. 그리고 지금도 백작의 무덤은 산토 토메 성당에 그대로 자리하고 있어요. 또한, 이 그림은 관이 있는 벽면에 걸려 있고요.

▲톨레도 산토 토메 교회 전경

그런데 의문이 드는 건 이 그림이 그려진 시기가 백작이
사망한 지 250년도 더 지나서라고 하셨는데요.
고인의 사후 얼마 되지 않아 그림을 완성하는 게 일반적이지 않나요?

그렇죠. 하지만 그 이면에는 사연이 있어요. 사실 이 그림이 이렇게
까지 유명해진 이유도 거기에 있어요. 백작은 임종 당시 자신의 형
편에 맞는 봉헌을 약속했겠지만 문제는 이를 지켜야 하는 후손들에
게 있었죠. 가문의 경제 사정이 상황에 따라 좋지 않을 수도 있고 신
앙에 대한 생각도 조상님이셨던 백작의 마음과 똑같을 수는 없잖아
요? 어쨌든 백작 사후 200년 이상 지난 후대에 가 고의든 아니든 백
작의 유지가 제대로 지켜지지 않았고요. 그래서 교회 측에서 백작
후손들을 상대로 소송한 거예요.

▲「오르가스 백작의 매장」세부 부분_ 백작의 시신을 안장하는 장면이다.

결국 소송까지 벌어졌군요. 소송에서는 누가 이겼나요?

교회 측이 승소했어요. 그래서 재판이 끝나고 나서 교회 측에서는
백작의 유언을 후손들에게 다시 상기시키기 위해 당대 최고 화가였
던 엘 그레코에게 의뢰해 이 그림을 그리게 했던 거예요.

▲「오르가스 백작의 매장」 세부 부분_ 타원형 상부에 그리스도, 마리아, 요한, 단축된 천사의 모습이 보인다.

이유를 알고 나니 이 백작의 후손들이 좀 안쓰럽네요.

교회 측에서는 한마디로 백작은 분명히 천국에 갔으니 이제 후손들이 약속을 지켜야 한다는 것을 이 그림을 통해 암묵적으로 주장한 거예요. 이렇듯 이 작품은 예술적 아름다움을 보여주려는 목적보다 교회의 주장에 타당한 근거를 제시하기 위한 법적 장치로 제작된 것이죠. 그런데 이 작품에서 특이한 점은 지상에서 천상으로 가는 입구를 아기로 보이는 영혼이 통과하는 모습인데요. 이 구조가 여성의 자궁과 많이 비슷해요. 자궁을 통해 태어난 인간이 다시 자궁을 통해 천상의 세계로 올려지는 모습이죠. 정말 일리가 있으면서 멋진 상상이죠. 그래서일까요? 엘 그레코가 구현해낸 천상과 지상을 넘나드는 이 같은 신비로운 상상과 화려한 색채, 작품의 역동적 아름다움 등

▲엘 그레코의 아들

▲엘 그레코의 자화상

은 오늘날 미술사적으로도 뛰어난 가치가 인정받고 있어요. 그래서 톨레도를 찾는 관광객이라면 필수적으로 보아야 하는 작품으로 손꼽혀요.

> 조상의 봉헌 약속을 상기시키기 위해 경고용으로 그려졌다는 작품이
> 훗날 이렇게 아름답고 역사적인 작품으로 우리에게 전해지는 것을 보니
> 우리 인생이 '새옹지마'라는 생각이 드네요.

그래서 우리 인생이 아이러니하다고 생각해요. 그리고 그림 왼쪽 하단에 스테파노 성인 옆에 서서 성인의 소맷자락을 손가락으로 가리키는 소년 보이시죠? 작가 엘 그레코의 여덟 살짜리 아들을 모델로 그렸는데요. 이 아이가 가리키는 스테파노 성인의 소맷자락은 죽은 백작의 영혼이 들어갈 통로예요. 그리고 거기에는 백작이 죽은 연도

가 적혀 있어요. 아이의 옷 앞주머니로 삐져나온 천에도 아이가 태어난 연도가 적혀 있어요. 화가는 이렇게 인간의 태어난 연도와 죽은 연도를 대조적으로 보여줌으로써 우리가 인생을 더 진지하게 생각하고 더 가치 있는 삶을 살아가도록 유도하는 것 같아요. 그래서 이 작품은 당시 백작의 후손들과 교회의 법적 스캔들을 뛰어넘어 예술적 가치가 충분하다고 할 수 있죠.

끝으로 우리가 이 「오르가스 백작의 매장」이라는 작품을 통해
새롭게 생각해볼 수 있는 것은 무엇일까요?

이 작품을 보면 곤잘레스 백작이 자신의 자손들도 대대손손 자신처럼 올바른 삶을 살다가 천국에 들기를 희망한 마음이 느껴져요. 이 곤잘레스 백작처럼 자신이 옳다고 생각하는 것, 가치롭다고 생각하는 것에 자녀와 후손들이 동참하기를 바라는 마음은 모든 부모의 마음이겠죠. 하지만 이 그림을 보면서 내가 생각하는 가치와 내 자식이 생각하는 가치가 많이 상반될 수도 있다는 생각이 들었어요. 어쨌든 이 작품은 교회 측과 백작 후손의 이런 법적 문제를 계기로 제작되었지만 당시 사람들의 생각을 알려주는 역사성을 보여줄 뿐만 아니라 뛰어난 미감을 통해 천상의 아름다움도 보여주고 있잖아요? 그래서 '인생은 짧고 예술은 길다'라고 하는가 봐요.

▶▶「오르가스 백작의 매장」_톨레도 산토 토메 교회 안의 그림을 감상하는 관람객들

포키온의 유골을 수습하는 아내가 있는 풍경

니콜라 푸생(Nicolas Poussin, 1594 ~ 1665)은 알아주지도 않는 노르망디 태생임에도 루벤스, 렘브란트와 함께 17세기 바로크 미술의 가장 영향력 있는 인물이 되었다. 푸생의 차분한 화풍의 그림은 당시 유행하던 바로크 양식과 맞지 않아 좋은 결과를 맺지 못한 것이 사실이다. 그러나 고대 신화, 성서 등에 나오는 이야기를 소재로 자신만의 그림세계를 구축했다. 그가 죽은 후 그의 그림이 프랑스 회화에 큰 영향을 미치면서 '프랑스 회화의 아버지'로 불린다.

단순한 풍경화로 생각했는데 제목이 길고 좀 특이한 것 같아요.
이미지 설명부터 간단히 해주세요.

먼저 오늘 작품 제목이 너무 기니 줄여서 「포키온의 유골이 있는 풍경」이라고 부를게요. 니콜라 푸생이 54세 때 캔버스에 유화로 그린 작품으로 가로 1m 78cm, 세로 1m 16cm이고 현재 영국 리버풀 워커 미술관에 소장되어 있어요. 먼저 화면 중앙을 보시면 높이 솟은 바위산을 배경으로 고대 로마풍의 원주 기둥 건물이 있고 그 좌우에 고풍스런 높은 건물들이 배치되어 있어요. 건물들 앞에 펼쳐진, 잔디가 깔린 너른 공터에는 앉아 휴식을 취하거나 거니는 사람들이 보이죠. 그리고 그림 아래쪽에는 바깥쪽과 경계를 구분하는 나지막한

▲**리버풀 워커 미술관**_영국에서 가장 큰 미술 컬렉션 중 한 곳이다.

성벽이 보이고 성벽을 가로질러 안으로 연결된 길목 바깥쪽 공터에
는 귀부인 한 명이 주변을 살피고 있고 그 옆에는 하녀로 보이는 여
인이 바닥에서 뭔가를 주워담고 있어요.

▲「포키온의 유골이 있는 풍경」_그리스와 로마 시대의 유산에 온통 마음을 빼앗겼던 푸생에게 가
장 중요했던 것은 특정 인물과 그들의 공적에 나타나는 고결한 이상을 자신의 작품 속에 구현하는
것이었다. 이는 스토아 철학자들이 무척 존경했던 아테네 귀족 포키온을 묘사한 그림 두 점의 기저
에 깔린 푸생의 예술적 감수성과 완벽히 일치한다.

화면 맨 아래 중앙에 서서 주변을 살피는 귀부인이 제목에 등장하는 포키온의 아내 같군요.
뭔가 주변을 살피며 초조해보여요.
그림 제목도 그렇고 주인공이 그림 아래에 작게 그려진 점도 특이한데요.
어떤 사연이 있는지 알려주시죠.

●))

이 작품「포키온의 유골이 있는 풍경」은 필리포스 2세와 그의 아들 알렉산더 대왕의 마케도니아가 주변 최강국으로 부상하던 기원전 4세기 아테네 지도자 중 한 명이던 포키온의 죽음과 관련된 내용을 담고 있어요. 이해를 돕기 위해 먼저 포키온이라는 인물부터 설명드릴게요. 포키온은『플루타르크 영웅전』에도 등장하는데 직접민주주의 체제이던 아테네에서 시민들이 1년 임기로 열 명을 뽑았던 스트라테고스, 지금으로 치면 최고위급 장성인데요. 이 스트라테고스에 무려 45번이나 선출되었던 정치인이자 군인이었어요. 포키온은 뛰어난 통찰력과 지도력으로 일생 동안 많은 전투에서 승리를 거두어 시민들의 찬사를 받았음에도 항상 겸손과 원칙을 지켰고 나이 80이 넘도록 한평생 아테네 정국의 안정과 평화를 추구했어요. 포키온은 아테네가 마케도니아와의 전쟁에서 패했을 때 조국 아테네에 피해가 적도록 항복 협상을 이끌어냈는데 이 과정에서 일부 시민들의 시민권이 제한되게 되었고, 그 결과 이들로부터 거센 비난을 받았어요. 이후 포키온은 반역했다는 비난을 받고 재판도 받지 못한 채 부당하게 처형되었어요. 그리고 한평생 자신이 지키고자 했던 고국 땅에 묻힐 권리마저 박탈당했어요.

▲「포키온의 유골이 있는 풍경」_푸생의 또 다른 연작으로 포키온의 시신이 들것에 실려 도성을 벗어나는 장면이다.

한평생 조국에 헌신한 애국자가 오히려 억울한 죽음을 맞았군요. 그래서 포키온의 아내가 지금 도시 성곽 밖에서 시신을 화장하고 주변을 의식하며 서둘러 유골을 수습하는가 봐요.

로마에 머물던 프랑스 작가 푸생이 이런 역사적 사실을 바탕으로 자신의 상상과 극적 연출을 더해 드라마틱하게 표현한 작품이라고 할 수 있죠.

부당하게 남편을 잃고 몰래 시신을 화장해야 했던 포키온의 아내는 무척 상심했을 것 같은데요. 그럼 포키온의 아내는 아테네에 매장할 수 없었던 남편의 유골을 수습해 어디로 가져갔나요?

역사학자들의 기록에 의하면 남편의 유골을 몰래 수습한 포키온의 아내는 비밀스러운 장소에 고이 매장했다고 해요. 그런데 어느 정도

▲「포키온의 유골이 있는 풍경」의 세부 모습_포키온의 아내가 남편의 시신을 화장해 수습하는 장면이다.

시간이 지나자 이성을 되찾은 아테네 시민들은 포키온에게 아무 잘못이 없었고 오히려 그가 진정한 애국자이자 뛰어난 지도자였다는 사실을 깨닫고 그를 사형시킨 것을 후회했다고 해요. 그래서 이후 포키온은 사면되었고 그의 유골은 아테네로 돌아올 수 있었어요. 그런데 이 이야기가 서구 사회에 구전으로 전해지면서 많이 각색되어 여러 이야기로 변형되었는데 그중에는 포키온의 아내가 남편의 유골을 수습해 물에 타 마셔버렸다는 이야기도 있어요.

어머나! 끔찍하게 유골을 물에 타 마셔버렸다고요? 어떻게 그런 상상을?

처형당한 죄수 신분이어서 고국 땅에 묻힐 수 없었던 남편의 유골을 가장 안전하고 안락하게 매장할 수 있는 장소가 아내의 몸속이라는 발상 자체가 지극히 극단적이지만 로맨틱한 면도 있지 않나요? 자기 아내에 대한 남편들의 바람 같은 것이 엉뚱하게도 이런 전설을 만들었다는 생각이 들어요. 아니면 죽어서도 아내와 영원히 함께 있고 싶어하는 욕망의 표출이라는 생각도 들어요. 어쨌든 포키온의 아내가 남편의 유골을 정말 물에 타 마셔버렸다면 끔찍한 엽기적 사건 같네요.

포키온의 아내가 재를 모으는 모습이 매우 엄숙해 보이는데요. 전체적인 그림 크기에 비해 사람이 조금 작은 느낌이 들고 그 배경 풍경에 고요함이 느껴져요.

그렇게 보셨다면 푸생의 의도가 작품에 잘 전달된 것 같네요. 푸생은 고결한 이상을 지닌 특정 인물에 관한 역사적 소재를 작품으로 구현하는 데 있어 고대의 풍경이나 자연이 조화되도록 구성함으로써 작품 안에 시적 감성을 담아냈던 화가예요. 이 그림에서도 양옆에 커튼을 드리운 것처럼 높이 솟은 나무숲 때문에 정면의 평화롭고 장엄해 보이는 밝은 풍경이 더 강조되어 보이죠. 그리고 아래쪽 유골을 모으는 장면이 작고 어둡게 처리되면서 극단적으로 대비되어 있어요. 이것은 부당한 처사에 놓인 개인에 대해 무관심한 공동체의 냉정함처럼 보여 우리에게 뭔가 가르침을 주는 것처럼 엄숙함이 느껴지죠. 프랑스 고전주의 작품들은 이 작품처럼 대체로 확실하고 정확한 표현에 교훈적인 주제를 담고 있는 것이 특징이죠.

▲**베르사유 궁전**_루이 14세가 자신의 영광과 권력을 과시하기 위해 대대적으로 건축했을 때 프랑스 바로크 미술의 최전성기를 맞이하고 루이 15세에 이르러 로코코 미술 사조가 태동했다.

방금 프랑스 고전주의라고 하셨는데요. 어떤 미술 사조인지 설명해주세요.

푸생이 활동하던 17세기 말에 이르러 프랑스는 '태양왕'으로 불리는 루이 14세의 통치하에 유럽에서 가장 강력한 국가로 부상했어요. 당시 서구 사회는 로마에서 시작된 바로크 양식이 전 유럽으로 확산되어 있었는데 그동안 세계의 수도 역할을 해온 로마와 경쟁 구도에 있던 프랑스는 '바로크'라는 이름 대신 자신들만의 차별화된 이름을 붙이고 싶어 했어요. 프랑스인들은 이 시기의 자신들의 문학과 미술을 일컬어 '고전적'이라는 표현을 즐겨 썼는데요. 그래서 이 시기의 프랑스 미술 양식을 프랑스 고전주의라고 부르는 거예요.

니콜라 푸생의 「포키온의 유골이 있는 풍경」을 보면 불완전한 인간의 잘못과 실수, 용서와 화해, 이 모든 것을 초월한 신적 기운을 담은 자연 배경까지 상당히 조화롭게 어우러졌다는 느낌을 강하게 받는데요. 이런 깊은 통찰력을 보여준 니콜라 푸생은 어떤 화가였나요?

니콜라 푸생은 프랑스 노르망디 레장들리에서 태어났지만 이탈리아 로마의 거장 라파엘로의 작품에 감화되어 30세 때 로마로 건너가 거의 평생 동안 로마에서 활동했어요. 푸생은 화가이면서도 철학자에 가까운 지성과 통찰력을 지녔는데 그림을 그리면서 작품을 생산한다는 개념보다 작품에 자신의 사유와 철학을 담아내기 위해 노력했어요. 그래서 그는 평생 동안 제자나 조수에게 작업을 맡기지 않고 작품 한 점 한 점을 스스로 성실히 그려내 많은 명작을 남겼어요. 루벤스, 렘브란트와 더불어 17세기 가장 영향력 있는 화가로 알려져 있고 특히 '프랑스 회화의 아버지'라는 별명도 있어요.

푸생이 거의 한평생 로마에서 활동했다고 하셨는데 어떻게 '프랑스 회화의 아버지'라는 별명을 갖게 되었나요?

니콜라 푸생이 로마에서 명성을 떨치고 유명해지자 1639년 프랑스 루이 13세는 그를 궁정 수석화가로 초빙했어요. 신화나 고대사 등에 기초해 독특하고 이상적인 풍경을 장대하고 세련된 화면 구성으로 펼쳐내는 그의 화풍은 프랑스 회화에 큰 영향을 미쳤어요. 그래서 푸생을 '프랑스 근대 화가의 시조', '프랑스 회화의 아버지'라고 부르는 거예요.

▲**니콜라 푸생의 자화상**_푸생은 뚜렷한 윤곽선과 밝은 색채를 기초로 한 명확하고 입체적인 구성
의 그림들로 인해 고전주의를 주도한 대표적 화가로 간주된다. 그의 양식은 당시 바로크 미술의 경
향과 근본적으로 달랐다. 바로크 미술은 루벤스의 소용돌이치는 움직임과 자유분방한 붓 터치로 대
표된다. 화가들과 미술품 감정가들 간에 푸생의 화풍과 루벤스의 화풍 중 어느 것의 예술적 가치가
더 높은지에 대해 17세기 내내 색채 논쟁이 벌어지기도 했다.

▲**루브르 박물관 천장화**_루이 13세가 건축한 루브르 궁전의 미술감독을 맡은 니콜라 푸생은 로마 체류를 중단하고 파리로 돌아와 활동했지만 다시 로마로 돌아갔다.

> 프랑스 궁정화가로도 활동했군요. 그런데 푸생은 프랑스에
> 왜 계속 머물지 않고 거의 한평생 로마에서 보냈나요?

●●

프랑스 루이 13세가 푸생을 궁정화가로 초빙한 것은 자신의 입맛에 맞게 루브르 궁전을 장식할 의도였는데 조수도 두지 않고 깊이 있는 내면의 사유를 담아 천천히 작업하는 푸생의 방식이 성질 급한 루이 13세의 취향과 맞지 않았어요. 그래서 푸생은 프랑스에 약 3년 동안 머물다가 다시 로마로 돌아가 여생을 보냈어요. 하지만 그가 로마에서 세상을 떠난 후에도 약 200년 동안 프랑스 화단에 지대한 영향을 미쳤어요.

푸생은 회화의 목적은 고귀하고 진지한 인간행위를 보여주는 것이
라고 생각했어요. 그리고 그런 작품 제작은 논리적이고 질서정연한
방법으로만 가능하다고 생각한 거예요. 푸생은 이런 그림을 그리려
면 화가 자신부터 올바른 가치관을 지니고 반듯하고 정확한 표현에
집중해 나가야 한다고 믿었어요. 그래야 감상자가 그림 속 인물 하나
하나에 내포된 감정들을 정확히 읽어낼 수 있고 그런 작품이 예술적
가치가 있다고 생각한 거예요. 이 작품을 보더라도 이게 무슨 얘기인
지 한 눈에 알 수 있죠. 그래서 니콜라 푸생은 200년 동안이나 후대
화가들의 모범이 되고 현대를 살아가는 우리에게도 깊은 울림을 주
는 거예요.

이 작품 「포키온의 유골이 있는 풍경」은 어떻게 보셨습니까?

처형당한 남편의 시신 재를 모으는 포키온의 아내가 이 그림의 주인
공임에도 불구하고 그림 전체에서 차지하는 크기가 정말 작아요. 푸
생은 고통스러운 인간의 분노나 탄식의 소리마저 배경으로 그려진
자연의 고요함 속에 모두 흡수시키죠. 이 그림을 보고 있으면 현재
우리가 일상에서 맞는 걱정이나 불쾌함, 억울함, 사람들과의 갈등은
결국 저 거대한 자연의 깊은 고요 속에 흡수될 먼지처럼 작은 일부
라는 생각이 들어요. 정말 우리의 부정적인 감정들은 이렇게 허망하
게 소멸될 먼지처럼 부질없는 것들 아닐까요?

친절한 미술관

삼미신

바로크 미술을 대표하는 화가 피테르 파울 루벤스(Peter Paul Rubens, 1577 ~ 1640)는 많은 수식어를 달고 다닌다. 그는 네덜란드 플랑드르 출신으로 유럽 각국을 돌아다니며 외교관 활동도 할 만큼 예술가로 정평이 나 정부는 외교적 문제에도 그를 파견해 해결하려고 했다. 루벤스 작품은 선에 생기가 넘치고 힘차고 색채가 풍부하고 화려하지만 세밀함은 부족하다는 평가를 받고 있다.

이렇게 여인 세 명을 그린 그림들을 어디선가 많이 본 것 같은데요.
이 작품의 대략적인 설명 부탁드립니다.

이 작품은 그리스 · 로마 신화의 「삼미신」을 묘사한 그림으로 많은 예술가들에게 영감을 주었고 회화와 조각 등에서 볼 수 있어요. 이 그림은 캔버스에 유화로 그려졌고 가로, 세로 각각 약 2m예요. 현재 스페인 마드리드 프라도 미술관에 소장되어 있어요. 이 「삼미신」은 나체의 세 여인이 각자의 아름다움을 뽐내는 듯한 포즈로 양쪽에서 미소를 머금고 서로 바라보며 풍만한 뒤태를 과시하고 있어요.

루벤스뿐만 아니라 다른 화가들도 이렇게 여인 세 명을 등장시킨
「삼미신」을 많이 그린 것으로 아는데요. 왜 그렇게 꼭 세 명을 그린 걸까요?

●●

이렇게 아름다운 여인 세 명을 등장시킨 그림은 「삼미신」이라는 제
목이고요. 고대부터 많은 작가들이 다뤄왔어요. 그래서 청취자 여러
분이 특히 외국 유명 미술관에 가시면 이 「삼미신」 그림을 몇 점이나
만나실 거예요. 그럴 때 오늘 이 방송 내용을 꼭 기억해주시면 작품
관람이 훨씬 쉽고 재미있을 거예요. 이 '삼미신'은 세 명의 아름다운
여신으로 그리스 신화에 맨 먼저 등장했어요. 그리스 신화에서 말한
삼미신은 제우스와 '바다의 요정' 에우리노메 사이에서 태어난 세 딸
로 이들은 광채라는 뜻의 아글라이아, 환희라는 뜻의 에우프로쉐네,
축제라는 뜻의 탈리아라고 불려요. 아름다운 이 세 여신을 '카리스'라
고 하는데 세 명이어서 복수형 '카리테스'라고 불려요. 이후 로마시
대에 이들에게 각각 사랑, 신중함, 아름다움의 의미를 부여했는데요.
중세시대에 이들의 존재가 사라졌어요.

중세시대에 왜 이 삼미신이 사라졌을까요?

●●

중세시대는 유일신의 시대여서 신이 절대적으로 중요한 가치였어
요. 그래서 상대적으로 인간의 아름다움은 중시되지 않았던 거예요.
하지만 이 중세를 지나 르네상스 시대 때 삼미신의 가치가 부활해
그들에게 순결, 사랑, 아름다움의 의미를 부여했어요. 이 밖에도 삼
미신을 가리켜 그리스 신화에서 파리스의 사과를 얻으려고 각자의

▲「**파리스의 심판**」_황금사과를 얻기 위해 파리스 앞에서 선택받는 헤라, 아프로디테, 아테나 삼미신을 묘사하고 있다.

아름다움을 겨루었던 헤라, 아테나, 아프로디테로 보는 견해도 있어요.

삼미신은 시대별로 다른 의미와 가치를 부여하는 것 같은데 왜 그럴까요?

사람들이 추구하는 가치나 의미는 시대에 따라 변하기 마련이죠. 그리스인들은 매력과 미모 외에도 창조력을 가장 좋은 것, 아름다운 것으로 여겼지만 로마인들은 창조력보다 신중함을 더 아름다운 것으로 여겼어요. 중세에 와서는 인간의 아름다움보다 유일신의 아름다움에 가치를 두었고요. 이후 르네상스 시대에 와서는 무엇보다 성

▲**미셸 푸코**_ 프랑스 철학자로 권력 · 지식 · 담론과 같은 개념을 바탕으로 고고학 · 계보학적 방법론을 사용해 사회를 비판적으로 분석했다.

인들이 지닌 순결한 아름다움을 최고의 가치로 여기면서 삼미신의 의미를 계속 변화시켜 나갔던 거예요. 이렇게 삼미신의 의미가 고대부터 오늘날에 이르기까지 계속 변해온 것을 보면 사람들이 시대와 사회마다 가장 아름답고 가치있는 것으로 여긴 기준이 모두 다르다는 것을 알 수 있어요. 그건 바로 그 시대를 이끌어가는 지식권력에 의해 좋은 것과 나쁜 것, 심지어 아름다운 것과 추한 것의 기준까지 생기는 거예요. 프랑스 철학자 미셸 푸코(Michel Foucault, 1926 ~ 1984)는 이것을 '지식 권력', 즉 '에피스테메(Episteme)'라고 불렀어요. 그는 이것에 관해 "우리가 의식하지도 못한 채 이 지식권력이 규정한 기준에 나를 맞춰 살아가고 있는지" 생각해보라고 경고한 바 있어요.

▶**삼미신 조각상**_삼미신 조각상은 고대 헬레니즘 시대에 유행해 로마시대에 절정에 달했다. 삼미신은 조각뿐만 아니라 회화에서도 많은 예술가에게 영감을 주어 다양하게 그려졌다.

아무리 그래도 인간의 외적 아름다움은 거의 모든 시대에 공통적으로 좋아했던 것 같은데요. 이 삼미신은 각 시대마다 어떤 역할을 했나요?

그리스·로마 신화에 등장하는 삼미신은 늘 함께 다니는데요. 그들은 '사랑과 미의 여신' 아프로디테의 시녀로 등장하는 경우가 많아요. 그래서 삼미신은 고대 문학이나 예술작품에서 아프로디테의 목욕이나 화장 등의 시중을 드는 모습으로 묘사되는 경우가 많아요. 이것은 어디까지나 삼미신의 의미를 아프로디테라는 미의 실체를 구현하기 위한 본질적 요소로 보았기 때문인데요. 한마디로 진정으로 아름다운 사람은 외모도 아름다워야 하지만 밝음, 유쾌함, 만개하는 꽃과 같은 풍요로움도 있어야 한다는 거예요. 이 말은 현대식으로 간단히 정리하면 외모가 예쁘고 성격도 밝고 돈도 많은 사람이 가장 아름다운 사람이라는 거예요. 이것을 보면 예나 지금이나 사람들이 공통적으로 좋아하는 건 비슷한 것 같아요. 좀 씁쓸하신가요?

동서고금을 막론하고 사랑 마음은 어찌 그리 같을까요?
이 그림을 보면 여인 세 명이 정답게 함께 있는데요.
이 여인들은 현대, 특히 한국인 기준으로 보면 너무 살찐 느낌이에요.
'미의 여신'들로 보기에는 너무 비만 아닌가요?

솔직히 제가 봐도 이 여인들은 별로 아름답게 느껴지지 않아요. 일단 너무 살이 쪘어요. 하지만 루벤스가 살았던 17세기 플랑드르 지역에서는 이렇게 포동포동 살찐 여성들이 미인이었어요. 이런 모습의 여인들이 당시 사회의 풍요를 상징했기 때문이라네요. 그러니까 외적 아름다움조차 시대와 사회가 결정한다는 말이 맞죠. 그러니 올바른 것, 좋은 것, 정의로운 것 등 관념적인 것은 더더욱 그렇다는 거예요. 그런데 미와 추함을 구분하는 이 시점에서 우리가 예상하지 못한 반전이 있어요.

반전요? 그게 뭘까요?

바로 개인마다 지닌 주관이에요. 루벤스의 이 그림 속에 등장하는 여인들 중 맨 왼쪽 금발 여인은 루벤스의 아내로 남편보다 37살이 어린 푸르망이에요. 루벤스는 아내를 끔찍이 사랑해 세상에서 가장 아름다운 여인으로 늘 푸르망을 모델삼아 그렸어요. 이렇게 아름다움은 주관적인 거예요. 하지만 그 주관적 견해 때문에 우리는 적어도 한 명의 눈에 가장 아름다운 사람이 될 수 있는 거예요. 또한, 내가 좋아하는 사람은 내 눈에나 아름답지 다른 사람 눈에는 절대로 그렇지 않다는 게 그나마 다행일 거예요.

▲**헬레나 푸르망**_루벤스의 두 번째 어린 아내로 루벤스의 그림에서 유독 풍만한 여성들이 누드로 많이 나온다. 「삼미신」은 헬레니즘 이후 미술사에서 여성 누드의 가장 오래된 주제였다. 이처럼 풍만한 여인의 자태는 '루벤스 신드롬'을 나타내기도 하는데 예술 작품을 보고 감동받는 '스탕달 신드롬'과 비슷하지만 여기에는 성적 에로티시즘이 추가되어 있다.

바로크 시대의 화가 루벤스의 「삼미신」이라는 작품을 통해 고대부터
오늘날에 이르기까지 사람들이 좋아한 아름다움에 대해 알아보는 시간을 가져봤는데요.
가장 아름다운 사람의 세 가지 기준이 있다면 무엇일까요?

저는 첫째, 건강한 사람이 아름다워요. 육체적 건강뿐만 아니라 정
신적 건강도 중요하다고 봐요. 둘째는 삶의 열정이 있는 사람, 셋째
는 따뜻하고 친절한 사람이에요. 하지만 이것은 어디까지나 제 주관
적 견해예요. 여러분도 이 「삼미신」을 통해 남들이 정한 아름다움 기
준에 얽매이지 말고 스스로 미의 기준을 만들어보시라고 이런 말씀
을 드렸어요. 내적 기준, 외적 기준 모두 좋아요. 나는 어떤 사람을
아름답다고 느끼는지 생각해보세요. 또한, "나는 아름다운 사람이
되기 위해 어떤 노력을 하는가?" 생각해보는 시간도 가져보세요. 그
리고 가장 중요한 한 가지로 "나는 세상에서 가장 아름다운 사람을
만났는가?"도 생각해보세요. 그 아름다운 사람을 만나신 분들은 축
하드려요. 아직 만나지 못하신 분들은 주변에서 잘 찾아보세요. 응
원할게요.

◀◀또 다른 「삼미신」_매우 관능적이고 풍만한 여체를 표현한 그림은 루벤스의 화풍을 잘 묘사하는
데 풍만한 여인 그림은 대부분 루벤스의 작품이다.

나르키소스

바로크 회화의 개척자로 미술사에 위대한 업적을 남긴 카라바조(Caravaggio, 1573~1610)는 "눈으로 볼 수 없는 신화를 그리느니 차라리 거리의 거지를 그리겠다"라는 생각으로 사실적인 그림을 그렸고 그림 대상도 직접 눈으로 볼 수 있는 것을 택했다. 그의 이런 작품 추구는 독특한 화풍을 만들었고 많은 사람들의 관심을 받았다. 그것은 전체적으로 어두운 화면에 강한 빛이 들어오는 장면을 연출하는 키아로스쿠로 기법을 창안했다.

이 그림은 한 남자가 바닥의 뭔가를 들여다보는 모습인데요.
자세한 설명 부탁드립니다.

이 그림은 캔버스에 유화로 그린 작품으로 가로, 세로 각각 약 1m예요. 그리스·로마 신화에 나오는 나르키소스의 성격과 행위묘사 그대로 시각적으로 드라마틱하게 구현한, 준수하게 잘 생긴 미소년이 물웅덩이에 몸을 최대한 밀착해 물속을 들여다보고 물에는 그 소년의 모습이 비치고 있어요. 소년은 물속에 비친 자신의 모습에 도취된 듯 황홀해하면서도 동시에 슬픈 미소를 짓고 있어요.

▲로마 바르베리니 궁전의 국립 고대 미술관에 소장되어 있는 「나르키소스」

설명을 듣고 그림을 보니 정말 그림 속 미소년의 표정에서 복잡미묘한 감정이 느껴지네요.

●●●

이 그림은 카라바조가 28세 젊은 나이에 그린 작품인데요. 뚜렷한 명암대비와 드라마틱한 표현으로 바로크 회화의 특징을 잘 보여주는 작품이죠. 이 작품이 이토록 드라마틱하게 느껴지는 것은 방금 말씀하신 것처럼 작품 속 주인공인 나르키소스의 얼굴에 나타난 절묘한 표정과 자세 때문일 거예요. 원래 나르키소스라는 말은 '망연자실'이라는 뜻의 단어에서 왔다네요. 나르키소스가 너무 잘 생겨 보는 사람들이 하나같이 망연자실해 붙은 이름이라네요.

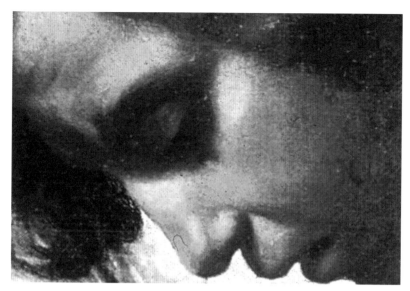

▲「나르키소스」**세부 부분**_물에 비친 자신의 모습을 보고 애원하는 나르키소스의 애절한 모습

'망연자실'이라고요? 도대체 얼마나 잘 생겨 그런 이름이 붙었을까요?
그러고 보니 그림 속 주인공도 무척 잘 생겼네요.
자기가 봐도 도취할 정도라면 다른 사람들이 망연자실하는 것도 당연하겠죠.

이 그림은 나르키소스 스스로 자신의 모습을 들여다보고 그 외모에 반해 망연자실하는 모습인데요. 바닥을 짚은 그의 팔에서 애절함이 더 강조되어 있어요. 그리고 물속을 들여다보는 나르키소스는 현실계의 인물이어서 밝고 빛나는 모습으로 표현했지만 물속에 비친 영상은 대조적으로 어둡고 우울하게 표현된 것도 이 작품이 지닌 카라바조 특유의 극적 표현기법이라고 할 수 있어요.

▲「**에코와 나르키소스**」_물에 비친 자신의 모습에 반한 나르키소스와 그런 나르키소스에게 반한 '숲의 요정' 에코의 모습으로 헤라 여신의 저주를 받은 에코는 나르키소스에게 먼저 말할 수 없는 벌을 받아 사랑 고백을 하지 못하고 애만 태우다가 몸은 사라지고 목소리는 메아리가 된다. 존 윌리엄 워터하우스의 작품이다.

많은 분들이 그리스 신화를 통해 나르키소스 이야기에 대해 잘 알고 계시겠지만 이 작품의 이해를 위해 더 자세히 설명해주시면 좋겠네요.

●Ⅲ

나르키소스는 '강의 신' 케피소스와 '강의 요정' 리리오페 사이에서 태어난 아들로 빼어난 용모 때문에 많은 사람의 가슴을 설레게 했다네요. 어느 날 한 요정이 나르키소스의 잘 생긴 모습을 보고 깊은 사랑에 빠졌는데 그 요정이 바로 에코, 즉 '메아리'라는 뜻의 이름을 가졌죠. 그런데 불행히도 나르키소스는 다른 사람들에게는 전혀 관심이 없어 그녀를 박대했고 이에 상심한 에코는 나르키소스에 대한 일방적인 사랑으로 애만 태우다가 쓸쓸히 죽고 말았어요. 이를 지켜본 '복수의 여신' 네메시스는 나르키소스가 남을 사랑할 줄 모르는 벌로 저주를 내렸어요. "남을 사랑할 줄 모르는 자는 자신을 사랑하라."라고 말이죠. 그리고 네메시스의 저주는 즉시 효과가 나타났어요. 물을 마시려고 샘가를 찾았다가 물속에 비친 자신의 모습을 보고 사랑에 빠졌던 거예요.

가까이 할 수 없는 사랑을 사랑하며 죽은 '메아리의 요정' 에코,
자신의 모습을 사랑하는 저주에 빠진 나르키소스 이야기가 정말 흥미롭네요.
그런데 자신의 모습을 사랑하는 저주는 어떤 걸까요?

'자신의 모습을 사랑한다는 것이 대수일까?'라고 생각하실지도 모르지만 그리스 신화 속 나르키소스의 독백을 보면 그것이 얼마나 큰 저주인지 알 수 있어요.

"숲이여! 나보다 더 아프게 사랑하는 자를 본 적 있는가?
나는 사랑한다. 내가 사랑하는 자는 여기 있다. 그러나 내가 사랑하고 내가 보는 내 사랑에 내가 아무리 손을 내밀어도 닿지 못하는구나. 이를 어쩌면 좋은가? 내 사랑이 나를 피하는구나. 견딜 수가 없구나. 많지도 않은 물이 우리를 갈라놓고 있으니 정말 견딜 수가 없구나. 내 사랑이 내 포옹을 바라고 있는데 어찌 내가 모르겠는가?
내가 허리를 굽혀 그 맑은 수면에 입술을 갖다 대려고 하면 내 사랑도 가까이 대며 내 입술을 마중하는데 어찌 내가 모르랴?
아, 사랑이여! 그대가 누구든 좋으니 내게 오라. 비할 데 없이 아름다운 자여! 왜 나를 피하는가?"

▲**수선화**_나르키소스가 죽은 자리에 피었다는 전설이 담긴 꽃이다.

나르키소스의 절박한 애원이 가슴뭉클한데요.
이 가엾은 나르키소스의 결말은 어떻게 되었나요?

나르키소스는 물에 비친 자신의 모습을 바라보며 점점 생기를 잃으며 죽어갔고 그가 죽은 자리에는 꽃 한 송이가 피어났어요. 그래서 사람들은 그 꽃을 나르키소스라고 불렀는데 우리말로는 수선화예요. 그런데 재미있는 것은 나르키소스가 자신의 모습을 얼마나 지독하게 사랑했는지 죽어 스틱스강을 건너는 배를 타고 가면서도 강물에 비친 제 모습에 눈을 떼지 못했다네요. 정말 못 말리겠네요.

수선화가 나르키소스였군요. 이제 수선화를 보면 이 나르키소스가 먼저 생각날 것 같아요.
그런데 자신을 얼마나 지독하게 사랑해야 이렇게까지 병적이 될까요?

병적인 것이 맞죠. 그래서 현대 심리학자들은 극단적으로 지독하게 자신만 생각하고 이기적으로 행동하는 사람을 '나르시스트'라고 부르는데요. 이것은 병적이고 부정적인 정신 상태를 말해요. 하지만 이기심과 이타심의 경계에서 늘 갈등해야 하는 것이 우리 인간의 숙명인지도 모르죠. 그래서 우리는 카라바조가 그린 「나르키소스」를 보면서 물에 비친 자신의 모습을 들여다보는 미소년의 애절한 표정에서 눈을 뗄 수 없고 동시에 자신의 아름다움에 애타는 저 나르키소스의 심정에 감정이입이 되는 거라고 생각해요.

카라바조의 작품 「나르키소스」를 통해 새롭게 생각할 수 있는 것은 무엇일까요?

카라바조의 작품 「나르키소스」를 보고 있으면 자신을 애절하게 바라보며 자신에게 간절히 구애하는 저 나르키소스의 모습이 아름답지만 그만큼 안타깝고 가엾다는 생각도 들어요. 그가 받을 끔찍하고 고통스러운 형벌을 우리가 알고 있기 때문일 거예요. 어찌 생각하면 내가 나를 사랑하는 게 무슨 죄가 되겠어요? 하지만 나 자신만 사랑하고 다른 사람들을 박대한 것이 이 나르키소스를 더 큰 고통에 빠뜨린 거예요. 다른 말로 하면 내가 아무리 사랑해도 나 자신이기 때문에 완전히 다가설 수 없다는 것 때문일 거예요. 그래서 사랑은 내가 아닌 타인을 향할 때 비로소 완전해지는 거겠죠. 특히 내게 가장 가까이 있고 나를 아껴주고 사랑해주는 사람에게 먼저 이 사랑을 준다면 서로 얼마나 행복할까요?

밀로의 비너스

반나체의 「밀로의 비너스」상은 엉덩이에 옷을 걸친, 상당히 매혹적인 자태의 전신상으로 양팔과 왼쪽 발이 없는 상태로 발견되었다. 비너스의 비례나 구조는 안정적인 자세와 조화를 이루며 등을 앞쪽으로 약간 굽힌 유연한 자세는 육감적이고 관능적인 느낌을 자아낸다. 이런 경향은 그리스 신화에서 그려지는 이상적인 비너스의 모습이 아니라 현실에서 느껴지는 아름다운 여인상 그 자체라고 할 수 있다.

「비너스」상은 학창 시절 미술실에 있는 석고상을 통해 접하신 분들이 많을 텐데요. 작품에 대한 대략적인 소개 먼저 부탁드립니다.

말씀하신 것처럼 이 작품은 학창 시절 미술 시간에 석고상으로 된 것을 보신 분들이 많을 거예요. 원작은 높이가 2m가 조금 넘는 대리석 작품으로 파리 루브르 박물관에 소장되어 있어요. 비너스(그리스 신화의 아프로디테) 여신이 아슬아슬하게 하반신만 천으로 걸친 채 서 있고 특히 양쪽 팔이 잘려나간 모습이 특징이어서 사람들이 이 작품을 인상적으로 기억하는 것 같아요.

▲「밀로의 비너스」_파리 루브르 박물관에 소장되어 있다.

「밀로의 비너스」. 지금 다시 보니 반라인데도 관능적이라기보다
우아한 아름다움이 느껴지네요.
이 작품의 예술적 가치로 어떤 점을 들 수 있을까요?

이 작품은 누드이면서도 우아한 기품이 느껴져요. 고전주의 조각기
법과 헬레니즘의 사실주의적 기법이 함께 적용된 걸작으로 완벽한
신체적 비례와 균형이 정교하게 구현되도록 수학적으로 계산된 원
근법이 적용된 작품이에요. 그러면서도 여신의 예쁜 얼굴 표정은 상
냥한 동시에 살이 적당히 오른 통통한 몸매의 자태는 유연하고 부드
러워요. 그래서 더 유혹적이고 달콤한 관능미를 뿜어내고 있어요. 그
래서 이 작품은 모나리자를 비롯해 세계적 명작들로 가득하다는 루
브르 박물관에서도 꼭 보아야 할 3대 작품으로 꼽힐 만큼 그 뛰어난
예술성을 인정받고 있어요.

▲「비너스의 탄생」_비너스는 조각과 회화에 많은 영감을 주었다.

오래 전부터 궁금했는데 이 비너스의 이름이 왜
「밀로의 비너스」인가요?

이 작품이 「밀로의 비너스」로 불리는 것은 그리
스 에게해 남동부 밀로섬에서 발견되었기 때문
인데 이처럼 지역명을 붙인 것을 보면 다른 비너
스 작품도 많다는 뜻이겠죠? 작품 제목에 붙은
「비너스」는 '미의 여신'을 뜻하는 로마식 이름으로 원래 그리스식 이
름은 아프로디테예요. 더 엄밀히 말하면 '성적 사랑의 여신'이라고
부르는 게 더 정확하다고 봐요. 인류는 동서고금을 막론하고 늘 다산
과 풍요를 갈망했기 때문에 아프로디테의 인기는 어느 시대에나 식을
줄 몰랐어요. 그래서인지 시대마다 수많은 예술가들에 의해 당대 가
장 아름다운 모습의 비너스가 새로 계속 태어나곤 했어요. 지금 소개
하는 「밀로의 비너스」는 그리스인들이 가장 아름답다고 생각한 이상
적인 여성의 모습을 조각한 것으로 지금까지 발견된 여러 비너스 조각
중에서도 가장 아름다운 걸작으로 손꼽혀요.

이 부분을 살펴보려면 호메로스가 들려주는 신화를 잠시 들춰봐야
해요. '파리스의 심판'이라는 유명한 이야기가 있는데요. 트로이 전
쟁의 원인이 되었다는 그리스 신화의 한 대목을 짧게 소개할게요.

'바다의 여신' 테티스의 결혼식 초대를 받지 못한 '불화의 여신' 에
리스가 화가 나 '가장 아름다운 자에게'라는 문구가 적힌 황금사
과 하나를 남겨두고 갔는데 이 사과를 놓고 서로 자신의 아름다
움을 자부하던 세 여신 헤라, 아테나와 아프로디테가 다투게 되었
어요. 이때 제우스에 의해 판결권을 부여받은 파리스가 아프로디
테에게 사과를 넘겨줌으로써 이때부터 아프로디테는 명실상부한
'미의 여신'으로 자리매김한 거예요.

그런데 특히 남성들이 이 여신을 좋아한 것은 아름다운 외모보다 이
여신만의 특별한 매력 때문일 거예요.

▶▶「**파리스의 심판**」_장 밥티스트 레그노의 작품으로 황금사과의 주인을 가리기 위해 아프로디테,
헤라와 아테나 여신이 다툰 끝에 가장 아름다운 '사랑의 여신' 아프로디테에게 돌아갔다.

▲「**호메로스 찬양**」_인류 최초의 서사시를 남긴 호메로스를 신격화한 앵그르의 작품이다.

사람들이 아프로디테를 좋아하는 것은 이 여신의
외모 때문만은 아니라는 말씀으로 들리는데요.
그럼 그리스인들이 생각한 아프로디테만의 특별한 매력은 무엇이었나요?

●●

호메로스가 저술한 『일리아스』와 『오디세이아』를 보면 아프로디테
의 매력이 잘 나타나 있는데요. 호메로스는 이 책에서 신들이나 인
간을 지칭할 때 그 인물의 특징을 설명하는 수식어를 붙여 말하고
있어요. 예를 들어 제우스의 아내이면서 '가정과 출산의 수호신'인
헤라는 '팔이 흰 헤라'로 부르고 '전쟁과 지혜의 여신'인 아테나는 '빛

나는 눈의 여신인 아테나'로 부르는 것이죠. 그럼 호메로스는 아프로디테를 가리킬 때 어떤 수식어를 붙였을까요?

'미의 여신'이니 '아름다운 자태'의 아프로디테나
'미소가 아름다운' 아프로디테, 이런 수식어 아니었을까요?

호메로스는 아프로디테 앞에 항상 '웃음을 좋아하는'이라는 수식어를 붙였어요. 심지어 아프로디테가 인간들의 전쟁에 개입해 몸에 상처를 입고 난리가 난 상황에서노 '웃음을 좋아하는' 아프로니테가 상처를 입었다고 표현했죠. 여기서 인간의 기본적인 욕망을 알 수 있는데 그건 바로 인간이 욕망하는 아름다움의 근본은 다정한 미소에서 비롯된다는 거예요. 그리고 신화 내용 중에 헤라 여신이 남편 제우스를 유혹하기 위해 웃음을 좋아하는 아프로디테에게 도움을 청해 예쁘게 수놓은 띠 하나를 비장의 무기로 받아갔는데 "그 띠 안에 그녀의 모든 매력이 들어 있었다"라는 대목이 있어요. 과연 그 매력이 무엇일까요? 거기에는 "아무리 현명한 자의 마음도 홀릴 수 있는 달콤한 사랑의 밀어와 설득이 들어 있었다"라고 적혀 있어요. 결국 아프로디테의 매력, 비장의 무기는 바로 이거였어요. 다정한 미소와 달콤한 밀어는 한마디로 상대방의 마음을 쥐락펴락하는 '연애술'의 핵심이라는 말이죠.

베로니카

프랑스 화가이자 판화가 조르주 루오(Georges Rouault, 1871 ~ 1958)는 1903년부터 익살꾼, 창부, 부자와 빈자, 재판관, 풍경 등을 주제로 거친 필치로 푸른 색조를 사용해 그렸다. 초기에는 과슈를 많이 사용하다가 점점 유채로 바꾸었다. 초기 작품에 나타난 절망과 분노는 곧 경건한 가톨릭 신자로서의 정숙함, 나아가 성스러운 환희로 승화했으며 주제에는 심각한 종교감과 엄숙한 정신이 엿보인다.

> 베로니카 성녀는 십자가를 짊어지고 가시는 예수님의 얼굴을 닦아드린 분으로 아는데요.
> 이렇게 그림을 통해 보니 평소 제가 상상했던 것처럼 선하고 아름다운 여인의 모습이네요.

이 작품은 루오가 1945년 캔버스에 유화로 그린 그림으로 가로 36cm, 세로 50cm이고 현재 파리 퐁피두센터에 소장되어 있어요. 그림에는 성녀 베로니카의 아름다운 얼굴이 화면 가득 그려져 있는데요. 푸른색 바탕에 머리에도 푸른색 베일을 쓴 성녀의 얼굴이 희고 갸름해 보여요. 특히 검고 아름다운 큰 눈망울과 길고 풍성한 속눈썹은 그윽한 느낌마저 주고 있어요. 성녀는 붉은 입술 사이로 흰 치아를 조금 드러내며 청순하고 온화한 미소를 짓고 있는데 작품 전체가 밝고 푸른 파스텔 톤으로 표현되어 그림 속에서 포근한 한 줄기

▲**예수의 땀을 닦아주는 베로니카**_일 가로팔로의 작품으로 십자가를 짊어지고 가는 예수의 땀을
닦아주는 베로니카 성녀를 묘사했다.

빛이 뿜어져 나오는 듯한 아름다운 그림이에요.

그림 속 베로니카 성녀는 어떤 분이셨는지도 설명해주시겠어요?

베로니카 성녀는 예수님께서 십자가를 짊어지고 골고타 언덕을 올
라갈 때 그 뒤를 따랐던 여인 중 한 분으로 피와 땀으로 범벅된 예
수님의 얼굴을 자신의 수건으로 닦아주었죠. 그리고 그 순간 기적
이 일어나 예수님 얼굴이 수건에 남았는데 이것을 '베로니카의 베일'
이라고 불러요. 전해지는 이야기에 의하면 '베로니카 베일'은 교황

▶베로니카 베일_일 가로팔로의 작품으로 십자가를 짊어지고 골고타 언덕을 오르는 예수님의 피땀을 닦아주는 베로니카 성녀를 묘사했다.

보니파시오 8세 때 로마의 성 베드로 성당에 모셔져 공경받다가 1527년 독일 황제군이 로마를 침략했을 때 약탈당해 결국 소실되었다네요. 성녀의 이름 '베로니카'는 진실을 뜻하는 베라(Vera)와 그림을 뜻하는 이콘(Icon)이 합성된 Vera icona, 즉 '진짜 형상'이라는 뜻이에요. 그래서 어쩌면 이 성녀는 실제로 존재한 인물이 아닐 수도 있다는 설도 있어요.

'베로니카 베일'이 약탈당해 소실되었다니 안타깝네요.
그런데 교회에서는 언제부터 성녀에 대한 공경이 시작된 건가요?

힘겹게 골고타 언덕을 오르며 피땀을 흘리시는 예수님의 얼굴을 닦아드린 성녀의 이런 선행은 오래 전부터 우리 신앙의 모범으로 자리

엘 그레코의 「베로니카 베일」

잡아 공경받아 왔는데요. 교회 신자들이 기도 제6처에서 '베로니카, 수건으로 예수님의 얼굴을 닦아드림'을 묵상하는 '십자가의 길 기도' 가 완성된 것은 1731년 교황 클레멘스 12세 때로 이때부터 베로니카 성녀에 대한 공경이 더 깊어져 '베로니카 베일' 이야기는 중세 말부 터 본격적으로 화가들의 그림 소재가 되었어요.

▲한스 멤링의「베로니카 베일」   ▲자크 블랑샤르의「성 베로니카」   ▲시몽 부에의「성 베로니카」

그럼 루오 말고도 많은 화가들이 베로니카
성녀의 모습을 그림에 담았겠군요.
그러고 보니 저도 이콘화 등을 통해 성녀의 모습을
본 적이 있는데
아마도 예수님의 얼굴 형상이 찍힌 수건을 든 모습 같아요.
그런데 다시 보니 이 그림에는
'베로니카 베일'이 보이지 않네요.

스페인 화가 엘 그레코를 비롯해 전통적으로 많은 화가들이 베로니
카 성녀의 그림을 많이 그려왔는데요. 성녀의 그림에서 빠지지 않고
등장하는 것이 지금 말씀하신 예수님의 얼굴이 찍힌 수건, '베로니카
베일'이에요. 이 수건이 곧 베로니카 성녀의 정체성을 보여주는 사물
이니까요. 이처럼 어떤 표식을 통해 그림 속 주인공의 정체를 암시
하는 것을 미술에서 '알레고리'라고 불러요. 그런데 20세기 작가 조
르주 루오가 그린 베로니카 성녀의 그림에는 예수님 얼굴 수건이 빠
지고 성녀의 얼굴만 화면 가득 채워져 있어요. 이런 시도는 루오가
최초예요.

베로니카 성녀는 어쩌면 예수님 모습이 묻어난 수건 때문에 존재하는 성녀인데 '수건이 없는 베로니카'라는 발상 자체가 매우 새롭고 파격적이죠. 루오는 왜 그랬을까요? 이 그림을 그리기 전 루오는 예수님 얼굴이 찍힌 수건을 소중히 간직하며 그 거룩한 형상을 수없이 들여다보았을 성녀에 대해 많은 묵상을 했겠죠. 저는 루오가 수건을 빼고 성녀의 얼굴만 그린 이유는 거룩한 형상을 바라보던 성녀가 자신도 모르게 예수님을 닮아 이렇게 온화하고 성스러운 얼굴이 되었다는 것을 보여주고 싶었기 때문이라고 생각해요. 성녀의 모습에서 예수님의 형상을 읽어낼 수 있게 되었다는 것을 화가 루오가 말하고 싶었다는 거예요.

조르주 루오는 1871년 프랑스 출생으로 어린 시절부터 미술에 관심이 있었지만 어려운 가정형편 때문에 낮에는 스테인드글라스를 제작하는 공방에 나가 스테인드글라스 그림을 그리고 밤에 미술공부를 해야 했어요. 그래서인지 그는 20세기 초 야수파의 거장 마티스

성 베로니카 조각상_오하이오 주
해밀턴의 성 줄리 빌리아트
가톨릭 교구 소재

▲조르주 루오의 자화상_인간의 내면 깊은 곳을 바라보려는 경향이 점점 강해졌다. 독자적인 것으로 그의 예술을 확립했다.

▲앙리 마티스의 자화상_프랑스 색채화가로 뛰어난 데생 능력의 소유자였다. 초반에는 신인상주의, 1905년부터는 포비즘 경향을 보였다.

와 함께 활동했던 색채중심 화가임에도 불구하고 전통 가톨릭의 주제를 다루는 대표적 화가가 될 수 있었어요. 사실 루오가 활동하던 당시는 예술이 종교와 분리된 시대여서 기존 종교나 관습을 따르던 기존 예술관을 철저히 부정하고 저항하던 시기였거든요. 루오는 종교적·신앙적 성찰을 통해 자신만의 독특한 필치가 담긴 개성있는 작품을 표현해냈어요. 이것들은 어릴 때부터 그가 일하던 공방에서 다뤄보았던 스테인드글라스 기법에서 얻은 것들이었어요. 그래서 그의 작품 전반에 기본적으로 나타나는 이미지의 대부분은 스테인드글라스에서 차용한 것들이에요.

▲파리 생트 샤펠의 우뚝 솟은 보라색 스테인드글라스_유럽에서 가장 상징적이고 숨막히는 유리 예술작품 중 하나다. 구약과 신약의 역사를 묘사한 1,113개 장면이 그려진 이 고딕 양식의 걸작은 스테인드글라스의 묘미를 보여준다.

그래서 이처럼 독특한 인상의 작품이 탄생한 거군요.
요즘 웬만한 성당에 가면 스테인드글라스를 볼 수 있잖아요?
스테인드글라스에 비치는 화려한 색채들이 너무 예쁘던데요.

스테인드글라스는 채색한 유리조각을 이어붙인 창문으로 중세 시대부터 주로 고딕 성당의 장식에 사용되었어요. 중세 당시는 스테인드글라스에 성경 이야기를 담아 사람들에게 교리 내용을 전했기 때문에 사람들은 이것을 '빛으로 쓴 성경'이라고 부르곤 했어요. 스테인드글라스의 영롱한 빛과 색채 덕분에 진리의 빛이 교회로 들어와 그 안에 있는 사람들의 정신을 일깨워준다는 글도 전해지고 있는데 그만큼 스테인드글라스는 중세 교회미술에서 중요한 비중을 차지하고

◀이중섭의 「황소」_왼쪽으로 향한 얼굴과 눈빛은 공간을 장악한 느낌을 자아내며, 코와 입가의 선연한 붉은색 및 배경의 붉은 노을은 강렬한 인상을 남기는 이 그림은 이중섭의 탁월한 표현력을 담아낸 대표작이다. 1950 년대, 종이에 유채, [사진 국립현대미술관]

있어요. 루오는 전통적인 스테인드글라스 공방에서 일하며 훗날 자신의 예술활동에서 중요하게 작용할 영감과 미감을 키울 수 있었어요. 이 그림을 보시면 아시겠지만 루오의 그림에는 그가 스테인드글라스를 복원하고 그릴 때 느꼈을 중세 특유의 묵직한 느낌이 들어 있어요. 그래서 루오를 설명할 때마다 항상 '짙고 어두운 색채와 굵고 진한 선들로 인간의 아픔과 고통을 표현하는 작가'라는 수식어가 붙어요. 그리고 루오의 이런 표현기법은 이후 많은 화가들에게 영감을 주었는데 그 중에는 우리나라 화가도 있어요.

루오의 굵고 진한 이 선에서 영감을 받은 우리나라 화가는 누구일까요?

●●●

그의 이런 표현으로부터 가장 큰 영향을 받은 대표적 작가로는 은지화와 소 그림으로 유명한 이중섭을 들 수 있어요. 이중섭의 그림을 보면 루오의 그림에 나타나는 강하고 굵은 선들이 등장하잖아요?

루오가 스테인드글라스에서 영감을 받아 굵고 거친 선,
짙은 색조로 인간 내면의 고통을 표현한 데는 어떤 이유가 있었을까요?

루오가 살았던 시대를 보면 루오가 작품에 고통을 표현한 이유를 어느 정도 짐작할 수 있어요. 루오는 제1차 세계대전과 제2차 세계대전을 모두 겪었는데 이런 혼란의 한가운데서 많은 사람이 다치고 죽는 처절한 고통을 직접 목격하고 느낀 내면의 심상이 붓끝을 타고 녹아 들어가 그의 그림을 통해 나타났다고 할 수 있어요. 다시 말해 그의 그림은 곧 열렬한 신앙고백이면서 세상을 향한 외침이었어요. 그래서 조금 전 말씀드렸듯이 20세기 예술은 도전과 저항이 강했음에도 루오는 종교적 주제를 담은 화가이자 손꼽히는 현대미술의 거장이 되었던 거예요. 그리고 그리스도교 미술 혁신에서 루오의 지대한 공헌을 높이 평가한 교황 비오 12세는 루오가 80세 되던 해 교황이 평신도에게 수여하는 최고훈장인 그레고리오 대교황 기사 훈장을 하사했어요.

그런데 이 그림 「베로니카」는 지금까지 제가 보았던 루오의 다른 작품들과
좀 다른 면이 있는 것 같아요. 밝고 화사한 느낌이라고 할까요?

이 그림을 그릴 당시 루오는 74세였는데요. 생의 대부분의 시간을 기도와 예술로 보낸 루오는 말년으로 갈수록 모든 아픔과 고통을 초탈해 평온하고 따뜻한 시선으로 인간을 바라보게 되었고 이것이 작품에 드러나기 시작했죠. 특히 「베로니카」는 정통 중세 비잔틴 이콘화에 가까운 표현기법을 썼는데 예수님의 모습을 소중히 간직한 이

▲이콘화 「성 베로니카」_종교적 미술과 관계해 회화 · 조각 · 공예품 등에 나타난 형상으로 특정한 뜻을 지녔으며 그 구도가 일정한 양식에 의해 유형화(類型化)되어 있다. 이콘화로 불리는데 이것은 미술이 아니라 오래된 전통으로 신성시되어 받아들여졌고 이집트 미술처럼 이콘화의 전통은 엄격히 지켜졌다. 하지만 이 이콘화의 표현기법은 사실적 묘사와 그리스 미술과 표현력이 뛰어난 헬레니즘 미술의 전통이 스며든 것으로 평가받는다.

성녀가 예수님을 닮아가면서 모든 눈물과 고통이 기쁨으로 변한다는 신앙의 종착지처럼 그는 이 작품을 통해 밝고 따뜻한 기운을 보여주려고 했어요.

"끼리끼리 만난다"라고 하니 좀 웃기네요. 그래도 그 이상 적절한 표현도 없는 것 같네요. 서로 닮아 좋아하는지, 좋아하다 보니 닮아가는지 정확히 알 수는 없지만 어쨌든 사랑하는 사람을 닮아가는 거라니 기왕이면 닮을 가치가 있는 좋은 사람을 사랑해 닮는 것이 좋겠죠. 그리고 신앙인들이라면 물론 그들이 믿는 신을 닮는 것이 최고 아니겠어요? 아름다운 베로니카 성녀처럼요.

「베로니카」를 통해 우리가 생각해볼 수 있는 것은 무엇일까요?

루오의 작품 「베로니카」를 보면서 예수님의 모습이 찍힌 수건을 소중히 간직했던 베로니카 성녀 이야기를 나눠봤는데요. 지극히 사랑하는 분의 모습을 소중히 간직한 베로니카 성녀의 모습도 그 분을 닮아 아름답게 빛나는 모습을 루오가 보여줬어요. 우리가 서로 좋아하면 닮는다는 말도 했는데 사실 내가 좋아하는 사람을 자꾸 바라보면 그 사람을 닮아가는 것 같아요. 그러니 여러분이 좋아하는 사람이 있으면 한 번이라도 더 만나고 더 바라보세요. 그렇게 서로 닮아가면서 서로에게 스며들도록 하세요. 이 그림 속 주인공 성녀 베로니카처럼 말이에요.

삼손과 데릴라

렘브란트 하르먼손 판 레인(Rembrandt Harmenszoon van Rijn, 1606 ~ 1669)은 초상화에 인물의 개성과 심리를 담아내는 데 탁월한 능력이 있었고 이 능력은 자화상에서 크게 발휘되었다. 그는 죽을 무렵 유행에 뒤떨어진 한물간 화가였지만 18세기 초 프랑스에서 그의 진가가 인정받았고 19세기 네덜란드인들이 과거 황금시대를 회상하면서 네덜란드 화단을 빛낸 화가가 렘브란트였다는 사실을 깨달으면서 다시 부각되었다.

「삼손과 데릴라」 이야기는 워낙 유명해 매우 재미있는 시간이 될 것 같네요.
먼저 그림 설명부터 간략히 해주시죠.

이 그림은 17세기 네덜란드 바로크를 대표하는 렘브란트가 캔버스에 유화로 완성한 작품으로 현재 독일 베를린 국립미술관 회화관에 소장되어 있어요. 그림을 보시면 여인의 무릎에 얼굴을 파묻은 채 잠든 왜소한 체구의 소년이 보이는데 소년의 길고 탐스러운 머리카락을 양손으로 잡은 여인이 뭔가 불안한 표정으로 뒤에서 칼을 들고 뛰어오는 남성을 바라보고 있어요. 그리고 그 옆 계단 위에서 한 병사가 고개를 내밀고 있어요. 전체적으로 어두운 색조로 그려져 지금 이 순간이 밤이라는 것을 암시하고 있는데요. 이와 대조적으로 여인

의 불안한 얼굴 표정과 잠든 소년의 뒷모습이 매우 밝게 처리되어 긴장된 분위기를 잘 표현하고 있어요.

「삼손과 데릴라」이야기는 저도 대략 아는데 이 그림만 봐서는
"이것이 내가 아는 삼손과 데릴라를 그린 그림이구나."라는 생각이 잘 안 돼요.
삼손은 천하장사로 알려져 있는데 혹시 저기 칼을 들고 달려오는 남성이 삼손인가요?

●●

흔히 알고 계신 「삼손과 데릴라」이야기를 연상하면서 이 그림을 보시면 좀 혼동되실 거예요. 많은 사람의 예상과 달리 이 그림에서 삼손은 한가운데 여인, 즉 데릴라의 무릎 위에 얼굴을 푹 파묻고 깊이 잠든 소년이에요. 그리고 여인의 뒤에서 칼을 들고 다가오는 근육질 남성은 블레셋의 병사예요.

말씀을 듣고 보니 그림에 담긴 화가의 의도가 정말 궁금해지네요.
그림 속으로 깊이 들어가기 전에 먼저 널리 알려진 이야기이지만
모르시는 분들을 위해 「삼손과 데릴라」이야기를 간단히 들려주시면 좋겠네요.

●●

이야기를 들려드리기 전에 잠시 몇 가지 용어 정리부터 하는 게 좋을 것 같아요. 먼저 '블레셋'은 개신교식 발음이고 천주교에서는 '필리스티아(Philistine)'라고 불러요. 그리고 '데릴라'는 '딜라일라(Delilah)' 또는 '들릴라'라고 발음하지만 영화나 오페라를 통해 일반적으로 '삼손과 데릴라'라는 이름으로 널리 알려져 있으니 저도 편의상 '블레셋', '데릴라'라고 부를게요. 삼손 이야기는 구약성경 판관기 13~16장에 나오는데 대략적인 줄거리는 다음과 같아요.

▲「**삼손의 결혼식**」_삼손이 플레셋의 여인에게 반해 그녀와 결혼하지만 삼손은 하객들에게 수수께끼를 내고 중앙에 신부가 멍하니 앉아 있는 장면으로 렘브란트의 작품이다.

블레셋인들의 지배를 받으며 고달픈 생활을 이어가던 이스라엘 민족에게 괴력을 지닌 영웅 삼손이 태어난다. 태어날 때부터 '나지르(Nazirite)인'으로 바쳐져 머리털에 칼을 대지 않고 술과 일체의 부정한 것을 금해야 했던 삼손은 블레셋 여인 데릴라를 만난 순간 자신에게 부여된 소명을 잊고 그녀에게 빠져든다. 블레셋인들은 맨손으로 사자를 죽일 만큼 엄청난 괴력으로 자신들을 곤혹스럽게 만드는 삼손에게서 나오는 힘의 비결을 알아내기 위해 데릴라를 이용한다. 그리고 집요하게 삼손을 유혹한 끝에 그의 힘이 머리카락에서 나온다는 것을 알아낸 데릴라는 잠든 삼손의 머리

▲「장인을 위협하는 삼손」_삼손이 데릴라를 만나기 전 플레셋 여인에게 반해 그녀의 아버지에게
딸을 달라고 위협하는 장면으로 그는 플레셋 여인과 결혼하지만 블레셋인과의 불화로 그들을 혼내
주고 다시 혼자가 되어 데릴라를 만난다. 렘브란트 작품이다.

카락을 잘라버린다. 결국 모든 힘을 잃은 삼손은 눈이 뽑히고 사
슬에 묶여 연자 맷돌을 돌리는 신세가 되고 만다. 이후 온갖 모욕
과 멸시를 받으며 노예생활을 하는 동안 삼손의 머리카락은 다시
조금씩 자라는데, 블레셋인들은 그들의 신 '다곤(Dagon)'의 제삿날
삼손을 웃음거리로 만들기 위해 그를 신전으로 끌고 나온다. 이때
삼손은 자신의 죄를 뉘우치며 하늘에 기도하고 기적적인 힘을 발
휘해 신전 기둥을 무너뜨려 축제에 참석한 모든 블레셋인들과 함
께 죽음을 맞이한다.

이미 아는 이야기인데도 다시 들으니 정말 재미있네요.
설명하시면서 삼손이 '나지르인'으로 바쳐졌다고 하셨는데요.
좀 생소한 용어인데 어떤 뜻인가요?

'나지르인'은 구약성경에 여러 번 등장하는 용어로 '거룩하게 구별된 사람' 또는 '하느님께 봉헌된 거룩한 사람'을 의미해요. 대표적 인물로 삼손 외에 사무엘이나 세례자 요한 등을 들 수 있겠네요.

그렇군요. 한마디로 나지르인은 거룩한 삶을 살기로 다짐한 사람이군요.
그런데 그런 삼손이 이방인 여성 데릴라를 가까이했다면
나지르인으로서 서약을 깬 것이 되겠네요?

삼손은 데릴라와 사랑에 푹 빠져 그동안 지켜오던 모든 계율을 집어던졌어요. 하지만 자신이 그토록 사랑한 데릴라에 의해 나지르인의 상징이라고 할 수 있는 머리카락이 잘리는 동시에 하느님으로부터 받은 괴력까지 빼앗긴 거예요. 이처럼 극적이고 자극적인 이야기는 여러 화가들에 의해 인기 소재로 다뤄졌는데 렘브란트는 1628년부터 1641년까지 연작으로 다섯 점이나 그렸어요. 이후 이 이야기는 1877년 샤를 카미유 생상스(Charles Camille Saint-Saens)에 의해 오페라 극으로 작곡되어 초연된 이후 지금까지 꾸준한 인기를 얻고 있어요. 그리고 1949년 미국 파라마운트 영화사에서 영화로 제작해 인기리에 방영된 적도 있어요. 그 덕분에 이 이야기는 세간에 널리 알려져 이제 '데릴라'는 세계에서 가장 대표적인 '배신의 아이콘'으로 통해요.

그림으로 다시 돌아가 몇 가지 궁금한 점을 여쭤봐야겠네요.
먼저 삼손하면 천하장사 이미지가 떠오르잖아요?
그런데 렘브란트는 어째서 근육질 남성이 아닌 왜소한 소년의 모습으로 삼손을 표현했을까요?

이 그림을 보시는 분들이 바로 이 점을 가장 궁금해하시는데요. 사실 여기서 우리는 렘브란트만의 몇 가지 남다른 통찰력을 들여다볼 수 있어요. 먼저 렘브란트는 남자가 사랑에 빠지면 저렇게 열다섯 살 소년처럼 어려진다는 생각을 했던 것 같아요. 그리고 젊고 힘센 이미지를 상징하기 위해 소년의 길고 윤기 있는 풍성한 머리카락으로 표현한 거예요. 다른 한편으로 저렇게 삼손을 앳된 소년의 모습으로 그려 이제 곧 머리카락이 잘리고 눈이 뽑힐 삼손의 운명을 감상자들이 더 안타깝게 바라보게 하려는 렘브란트의 의도가 감춰졌던 거예요.

또 하나 의문은 이처럼 삼손을 소년의 모습으로 그려놓은 렘브란트가
데릴라의 모습은 별로 예쁘지도 않게 다소 나이든 모습으로 그렸다는 거예요. 왜 그랬을까요?

지금 데릴라의 복장은 렘브란트가 살던 17세기 네덜란드에서 선술집 여주인들이 흔히 입던 복장이에요. 당시 네덜란드 사회에서 일반 여성들은 저렇게 가슴이 훤히 드러난 옷은 거의 입지 않았거든요. 그것은 데릴라에 대한 삼손의 사랑은 순수한 사랑 자체인 반면, 데릴라의 감정은 삼손의 비밀을 캐내려는 의도를 담고 있어 순수하지 않다는 것을 보여주고 있어요. 이 그림에서 데릴라의 양손 모습이 좀 특이한데 혹시 발견하셨나요?

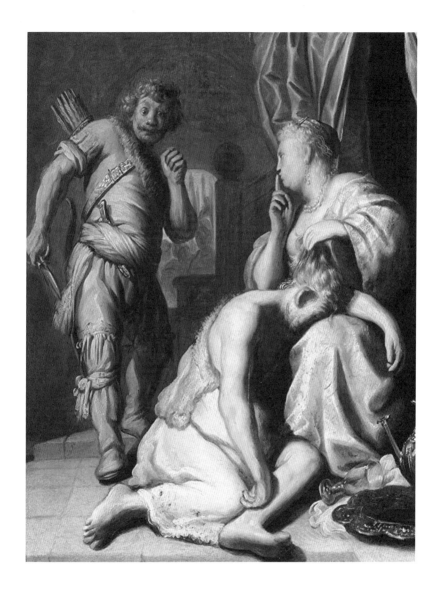

▲「삼손의 머리카락을 자르는 데릴라」_데릴라에 의해 머리카락이 잘린 삼손이 체포당하는 장면이다. 렘브란트는 「삼손과 데릴라」 연작을 통해 유혹에 진 삼손의 비극을 통해 진정으로 강한 사람은 유혹을 이기는 사람임을 보여주고 있다.

오른손은 좀 도톰한 반면, 왼손은 좀 날렵하게 그려져 있네요.
그러고 보니 렘브란트의 대표작 「돌아온 탕자」에서도
돌아온 아들을 안은 아버지의 두 손을 어머니와 아버지의 손으로
각각 표현해 하느님의 모성과 부성을 표현한 것으로 유명했잖아요?

이 그림에서도 렘브란트는 데릴라의 양손을 통해 그녀의 심리 상태를 잘 표현하고 있어요. 이성을 상징하는 오른손은 잠든 삼손의 머리카락을 꼭 움켜쥐고 있죠. 이것은 무엇을 의미할까요? 바로 "나는 내 나라 블레셋을 위해 임무를 수행해야 하는 스파이다. 이 사람을 죽여야 한다."라는 자신의 직무를 생각하는 거예요. 또한, 감성을 상징하는 왼손으로는 삼손의 머리카락을 부드럽게 쓸어내리고 있어요. 이것은 "그래도 나를 사랑해준 남자인데"라며 자신과 사랑을 나눈 사람에 대한 죄책감, 미안함, 안쓰러움 등이 담겨 있어요. 복잡하고 상반된 여인의 이런 감정을 렘브란트는 서로 다른 두 손 모양을 통해 함축적으로 표현한 거예요.

◀◀「돌아온 탕자」_탕자의 등에 놓인 아버지의 한 손을 여성의 손을 나타내 부드러움, 다른 한 손은 남성의 손을 그려 강함을 나타내고 있다. 진정한 강함은 조화에 있다고 판단해 부드러움만으로는 세상을 살아가는 데 부족할 것으로 판단해 그렇게 표현했다.

▲「삼손과 데릴라」 영화의 한 장면_삼손 역으로 빅터 매추어와 데릴라 역으로 헤디 라마가 열연했다.

「삼손과 데릴라」 이야기가 오페라와 영화로도 제작되었다는데
'배신의 아이콘'이라는 데릴라가 이 작품들에서 어떻게 표현되었는지 너무 궁금하네요.

1949년 파라마운트사에서 제작한 「삼손과 데릴라」 영화죠. 데릴라
역으로 헤디 라마라는 오스트리아 출신 미국 여배우가 연기했는데
진짜 예쁘기도 하지만 완전히 '여우' 같은 느낌이라고나 할까요? 삼
손은 이탈리아 출신 미국 배우 빅터 매추어가 연기했는데 완전 몸짱
에 얼굴까지 엄청 잘 생겼더라고요. 영화에서 보여준 '삼손과 데릴
라'의 모습은 성경 속 이야기에 충실하며 특히 '사랑과 배신'의 소재
를 극적으로 활용하기 위해 노력한 것 같아요. 반면, 렘브란트는 깊
은 성찰을 통해 자신만의 독특하고 창의적인 해석으로 우리의 감성
과 상상력을 풍부하게 확장시켜 주었다는 점에서 거장으로서의 그
의 면모를 들여다볼 수 있어요. 그것도 겨우 23세에 이런 표현을 한
그의 천재성에 놀라지 않을 수 없어요.

▲「체포되는 삼손」_데릴라의 배신으로 삼손이 체포되는 모습이다. 렘브란트의 작품이다.

끝으로 이 작품에 대해 정리해주시죠.

'격정 멜로'라는 표현이 걸맞을 만큼 '사랑과 배신'이라는 주제를 담은 「삼손과 데릴라」를 함께 감상하셨는데요. 이 그림 속에서 사랑에 빠져 15세 소년이 된 삼손과 윤기 흐르는 그의 긴 머리카락을 만지는 데릴라의 갈등 가득한 손을 보면 냉혹한 현실과 사랑하는 마음이 격하게 충돌하는 것이 느껴져요. 우리는 인생을 살아가면서 가끔 양극단 사이에서 결정적 선택을 내려야 할 때가 있어요. 하지만 지금 데릴라를 보세요. 저 데릴라는 삼손을 눈멀게 하고 죽이고도 자신은 행복했을까요? 후회하진 않았을까요? 하지만 우리 인간은 불완전하기 때문에 후회를 전혀 안하고 인생을 사는 사람은 없을 거예요. 그러나 이 후회를 최소화하기 위해 우리에게 올바른 인생관이 필요한 것이라고 생각해요.

오필리아

존 에버렛 밀레이(John Everett Millais, 1829 ~ 1896)는 라파엘로 이후 대가 양식의 모방에서 탈피해 회화예술에 자연주의와 정신적 내용의 부활을 주장하며 라파엘 전파를 결성했다. 그의 대표작으로 「오필리아」를 들 수 있는데 정밀한 세부 묘사와 화려한 색채에 의한 문학적·종교적 주제의 작품은 통속적·감상적 표현으로 기울었다. 그는 능수능란한 묘사력을 살려 초상화와 일반적인 주제로 세상의 명성을 얻어 아카데미 회장을 역임하기도 했다.

> 오필리아는 그 유명한 셰익스피어의 비극 『햄릿』에서
> 주인공 햄릿을 사랑했던 여인이죠.
> 그래서인지 이 그림이 유독 흥미롭게 느껴지는데요.
> 구체적으로 어떤 작품인가요?

윌리엄 셰익스피어(William Shakespeare)의 비극 『햄릿』에서 주인공 햄릿을 사랑했던 여인 오필리아를 그린 작품으로 현재 런던 테이트 브리튼 미술관에 소장되어 있어요. 이 미술관에서도 존 에버렛 밀레이의 작품 「오필리아」의 인기는 늘 최고였어요. 물론 셰익스피어가 창조한 비련의 여주인공이라는 타이틀도 한 몫 했겠지만 화가 밀레이의 표현도 탁월하게 아름답기 때문이에요.

▲「**오필리아**」_런던 테이트 브리튼 미술관 소장

작품을 보니 정말 여성스럽고 아름답네요.
이 그림 속 주인공 오필리아가 물 위에 누운 듯 떠 있는데요.
하얀 얼굴의 아름다운 오필리아는 눈을 뜨고 허공을 바라보며
뭔가 슬픈 노래를 부르는 것 같아요.
그리고 그녀를 둘러싼 꽃과 푸른 수초들이 그녀의 슬픔에 더 공감하는 듯하네요.

밀레이는 오필리아의 모습을 물 위에 떠 서서히 죽어가는 슬픈 오필리아로 표현했는데요. 이 장면은 셰익스피어의 원작에서 햄릿의 어머니 거트루드 왕비가 오필리아의 죽음을 알리는 대사를 바탕으로 그린 그림이에요.

핵릿의 어머니 거트루드 왕비가 오필리아의 죽음을 알리는 대사는 어떤 대사였나요?

●●

거트루드 왕비의 대사는 다음과 같아요.

"그 애는 늘어진 나뭇가지에 화관을 걸려고 기어오르다가 심술궂은 가지가 부러져 화관과 함께 흐느끼는 시냇물 속으로 떨어지고 말았다는구나. 옷이 활짝 펴져 잠시 인어처럼 물 위에 뜬 동안 자신의 곤경을 모르는 사람처럼 아니면 원래 물속에서 태어나 자란 존재처럼 옛 노래 몇 구절을 불렀다더라. 하지만 곧 물에 젖어 무거워진 옷은 그 가엾은 것을 아름다운 노래에서 진흙탕 죽음으로 끌어들이고 말았다는구나."

오필리아의 처절한 슬픔이 느껴지죠. 화가 밀레이는 이런 오필리아의 마지막 모습을 상상해 셰익스피어가 비극에서 미처 못다한 이야기까지 화폭에 담아냈는데요. 특히 죽어가는 오필리아 주변에 배치한 꽃의 은유로 오필리아의 심정을 극대화해 표현했어요.

밀레이가 그림에서 꽃의 은유로 셰익스피어가
못다한 오필리아의 심정을 표현했다는 게 무슨 얘기인가요?

●●

밀레이가 활동했던 영국 빅토리아 왕조 시대에는 꽃말이 상당히 유행해 오필리아의 몸에 꽃을 배치해 오필리아의 처절한 상황과 심정을 표현한 거예요. 극중 오필리아는 자신이 사랑했던 햄릿이 아버지

▲「**오필리아**」 **세부 장면**_이 작품에는 수십 종의 다양한 식물과 꽃들이 섬세하게 묘사되어 있는데 각각 상징적인 의미를 함축하고 있다. 쐐기풀은 고통을 의미하고 데이지는 순수, 팬지는 허무한 사랑, 제비꽃은 충절을 암시한다. 죽음을 상징하는 붉은 양귀비가 유난히 강조되어 있다.

의 원수를 갚는 데 광적으로 집착하고 그가 오필리아의 아버지를 숙부로 오인해 죽인 데 대한 슬픔을 이기지 못해 정신까지 이상해져 스스로 물에 빠져 생을 마감한 비련의 여인이에요. 그런 그녀의 얼굴과 드레스에 있는 장미는 그녀의 오빠가 그녀를 '5월의 장미'라고 부르던 것을 암시하고 그녀 목 주변의 제비꽃은 신의, 순결 등을 의미해요. 또한, 팬지는 허무한 사랑을 알려주고 수선화는 깨진 희망을 상징해요. 강가에 핀 양귀비는 깊은 수면 상태, 더 나아가 죽음을 의미해요. 물 위에 물망초가 떠 있는 것은 "나를 잊지 마세요"라는 오필리아의 바람을 담고 있어요. 미술작품인데도 풍부한 문학적 상상력이 담겨 있어요.

▲「비너스의 탄생」_르네상스 시대 화가 보티첼리의 대표작으로 밀레이는 보티첼리를 모범삼아 라파엘 전파라는 새로운 미술 사조를 창조했다.

미술작품에 담긴 문학적 상상력이 정말 뛰어난데요.
화가 밀레이는 그런 미술을 좋아했나 봐요.

●◑◗

화가 밀레이는 특히 미술작품에 문학적 요소를 풍부하게 담아내는 것을 추구했어요. 이 시대 즉, 영국 빅토리아 왕조 때의 화풍이 그랬어요. 그런 화풍을 추구하던 이 사조를 '라파엘 전파'라고 부르는데 영국에서 발생한 라파엘 전파라는 미술 사조 이름이 아무래도 인상파나 입체파 같은 미술 사조보다 좀 생소하게 들리는 분들이 많을 거예요. 라파엘 전파는 르네상스 전성기의 라파엘로와 같은 사실적 화풍에 반발해 라파엘로 이전의 고풍스럽고 신비스러운 기법을 추구하자는 사조였어요. 이 사조의 모범이 된 화가는 「비너스의 탄생」으로 유명한 보티첼리였어요. 그만큼 라파엘 전파가 추구하는 화법

▲**존 에버렛 밀레이**_영국 화가로 라파엘 전파를 결성했고 14~15세기 이탈리아 미술에서 영감을 얻었으며 꾸밈없는 자연 묘사를 찬양했다.

▲**윌리엄 셰익스피어**_영국이 낳은 세계 최고의 극작가로 희·비극을 포함한 38편의 희곡과 여러 권의 시집 및 소네트집을 집필했다.

은 문학적 스토리에 기반해 낭만적 서정과 중세적 신비를 자아내는 그림들을 그려내는 것이었죠. 그러니 당연히 이들에게 셰익스피어의 비극은 최고의 주제였던 거예요. 라파엘 전파를 창립하고 리더로서 이끈 화가가 바로 밀레이였고 그런 밀레이가 셰익스피어의 문학적 스토리에 기반해 햄릿의 비극적 효과를 극대화하기 위해 모델과 4개월 넘게 협업한 작품이 바로 이「오필리아」예요.

그런데 이 모델이 이런 포즈로 4개월 넘게 했다면 무척 힘들었겠네요.

이 작품의 실제 모델은 엘리자베스 시델이라는 여인이었는데 보시다시피 외모가 워낙 아름다워 당시 라파엘 전파 작가들의 뮤즈였다네요.

▲**오필리아 미니어처**_시달이 강물에 빠진 모습을 연기하기 위해 물을 가득 채운 욕조 안에 누워 포즈를 취했다. 욕조의 차가운 물은 램프로 데웠는데 램프 불이 꺼져 감기에 걸리기도 했다.

밀레이는 실제로 익사체를 본 적이 없기 때문에 욕조에 물을 가득 받아놓고 그 안에서 모델에게 이런 포즈를 취하게 했어요. 그러던 어느 날 이 욕조의 물이 너무 차가워 모델이 감기에 걸리기도 했다네요. 이 모델의 아버지가 그 일로 밀레이를 고소하는 소동까지 벌어졌어요. 또한, 이 그림 속 꽃들이 만개하는 시기가 달라 밀레이는 5개월 넘게 근처 강가에서 꽃들을 유심히 관찰하고 스케치해 완성하는 치밀함을 보였어요.

끝으로 우리가 이 작품「오필리아」에서 새롭게 생각해볼 수 있는 것은 무엇일까요?

● ⑾

밀레이는 죽은 오필리아의 모습에 온갖 아름다운 꽃을 그려넣어 슬픔을 이기지 못한 가련한 오필리아를 아름답게 표현했어요. 그래서 밀레이 이후 화가들도 오필리아를 무조건 이런 식으로 꽃과 함께 매

▲「오필리아」_자신의 아버지가 연인 햄릿에게 살해당하자 강물에 몸을 던져 스스로 목숨을 끊는 장면이다.

혹적으로 표현했지만 어디까지나 불쌍한 오필리아를 향한 동정이 극대화된 표현이라고 생각해요. 인생을 살면서 크고 작은 시련이나 아픔의 시간은 누구나 겪을 수 있어요. 어떤 고통은 무력하게 그 고통의 시간이 지나가기만 기다려야 할 수도 있지만요. 대부분의 고통은 언제나 내가 정면으로 맞서 극복해야 할 문제라고 생각해요. 세상에 아무것도 힘들지 않은 인생은 없을 거예요. 있더라도 너무 가벼운 삶이겠죠. 이런 점에서 밀레이의 「오필리아」를 셰익스피어의 문학적 상상력이 시각적 아름다움으로 극대화된 예술작품으로 감상하시고 그림 속 주인공 오필리아의 고통 앞의 허망한 죽음을 우리가 좀 더 냉정히 생각해보는 게 어떨까요?

잔느 에뷔테른

아메데오 모딜리아니(Amedeo Modigliani, 1884 ~ 1920)는 폴 세잔과 툴루즈 로트렉의 영향을 받았지만 다양한 미술 사조와 원시 미술에서 받은 영향을 자신만의 방식으로 소화해 개성 넘치는 양식을 선보였다. 그는 항상 인물만 그렸는데 파리 뒷골목에 사는 가난한 사람과 여성의 나체 등을 즐겨 그렸다. 그의 인물화는 가늘고 긴 목이나 달걀 모양의 얼굴을 가는 선으로 둘러 독특한 기품과 아름다움을 표현했다.

이 작품은 상당히 눈에 익은데요. 어떤 작품인지 소개해주시죠.

많은 분들이 이 작품을 반가워하실 거예요. 아메데오 모딜리아니의 1920년 작 「잔느 에뷔테른」을 소개해드릴게요.

모딜리아니 작품을 다루니 제 마음이 설레네요. 먼저 설명부터 해주시죠.

모딜리아니 작품은 개성이 뚜렷하고 아름다워 좋아하는 분들이 꽤 많은 것 같아요. 이 그림은 모딜리아니가 자신의 아내 잔느 에뷔테른을 모델로 캔버스에 유화로 그린 작품으로 가로 80cm, 세로 130cm예요. 작품 속 잔느는 당시 첫째 딸을 낳고 이어서 둘째 아이

▲**모딜리아니 자화상**_이탈리아에서 태어나 파리에서 활동한 화가이자 조각가다. 특정 사조에 참여하지 않았지만 폴 세잔, 야수파, 입체파, 아프리카 미술 등 다양한 미술 양식에서 영감을 얻었다. 탁월한 데생 실력을 반영하는 리드미컬하고 힘찬 선 구성, 미묘한 색조와 중후한 마티에르 등이 특징이며 긴 목을 가진 단순화된 여성상은 무한한 애수와 관능미를 전달한다.

를 임신한 상태로 붉은 상의에 검푸른 치마를 입고 의자에 앉아 남편 모딜리아니를 다정히 응시하고 있어요. 모딜리아니 작품의 가장 큰 특징은 목과 얼굴을 길게 표현한 건데요. 이 작품에서도 잔느를 유난히 긴 목과 긴 얼굴로 표현하고 눈동자를 그려넣지 않고 푸른색만 채워 넣은 것이 인상적이죠.

> 모딜리아니 작품 속 인물들은 한결같이 긴 얼굴과 긴 목으로 그려진 것 같네요.
> 사람 얼굴을 왜 이렇게 길쭉하게 그린 걸까요?

그 이유는 아프리카 조각상의 영향을 받았다는 등 여러 설이 무성한데요. 대상의 아름다움을 긴 형태에서 찾아내 생동감 있는 곡선으로 표현해내는 모딜리아니만의 미적 주관 때문이라고 생각해요. 여기서 잠깐 미술용어 하나를 소개해드릴게요. 이처럼 작가의 주관이나 특별한 감정을 강조하기 위해 대상을 고의적으로 왜곡해 변형시키는 기법을 '데포르마시옹(Deformation)'이라고 해요. 데포르마시옹은 프랑스어로 '왜곡, 변형'이라는 의미를 갖고 있어요. 모딜리아니는 전형적인 데포르마시옹 기법으로 모델의 얼굴이나 목뿐만 아니라 손도 길쭉하게 표현해 고요하면서도 생동감 넘치는 아름다움을 발산하고 있어요.

◀◀**잔느 에뷔테른의 초상**_1917년 파리 몽파르나스의 한 카페에서 모딜리아니는 14세 연하의 화가 지망생 잔느 에뷔테른을 만났다. 그는 많은 여인을 만났지만 마지막 연인 잔느만큼 그에게 무조건적인 순진무구한 사랑을 바친 여인도 없었다. 둘은 첫 눈에 반했고 지중해 연안 코트다쥐르에서 동거를 시작했다.

▲잔느 에뷔테른의 사진_잔느는 우아하고 수줍음   ▲「잔느 에뷔테른의 초상」_니스에서 모딜리아
을 잘 타고 조용하고 섬세한 성격의 소유자였다.   니는 25점의 아내 초상화를 그렸다.

설명을 듣고 보니 작품 속 잔느의 모습에서 독특한 아름다움이 느껴지네요.
먼가 신비감도 느껴지는 것 같아요.

그림 속 잔느 에뷔테른의 별명은 '누아 드 코코'였다는데 우리말로
코코넛 열매라는 뜻으로 그만큼 그녀의 피부가 희고 아름다웠어요.
사람들은 그녀가 중세 시대의 성당처럼 고고하면서도 신비로운 아
름다움을 지녔다고 말하곤 했어요. 모딜리아니는 길쭉하고 높은 고
딕 성당에서 느낄 수 있는 영원성이나 영적 기운, 슬픔 등을 아내의
모습에서 찾아냈을 거라고 생각해요. 그래서 잔느를 높이 솟은 고딕
성당처럼 길쭉하게 표현한 것이겠죠.

▲자신의 아틀리에에서 작업 중인 아메데오 모딜리아니

모딜리아니라는 화가는 설명을 들을수록 독특한 개성이 느껴지네요.
어떤 인물인지 소개해주시죠.

모딜리아니는 이탈리아 토스카나주 리보르노라는 작은 마을에서 태어났는데 그가 태어날 당시 아버지가 사업에 실패했지만 인문학자이던 어머니가 학술도서 번역 일을 해가며 생활을 유지할 정도로 어머니는 지식인이었어요. 그래서 모딜리아니는 상당한 지식을 겸비한 지성적인 어머니로부터 인문학적 소양과 예술적 식견을 배울 수 있었어요. 모딜리아니가 예술을 바라보는 차원에서 남다른 면이 있었던 것도 어머니의 영향이 컸다고 할 수 있어요.

▲모딜리아니가 그린 「큰 모자를 쓴 잔느 에뷔테른의 초상」

모딜리아니가 줄곧 프랑스에서 활동해
그가 프랑스 화가인 걸로 생각했는데
이탈리아인이었군요. 그의 어머니도 대단한 분이네요.
그림으로 다시 돌아가 궁금한 게 있는데요.
그림 속 잔느의 눈동자가 그냥 푸르게만 칠해져 있는데
이건 어떻게 봐야 할까요?

사실 우리가 작품을 감상할 때 어떤 정해진 법칙이나 의미는 없어
요. 그림을 보는 사람이 자유롭게 상상하고 나름의 의미를 부여하면
되니까요. 하지만 많은 분들이 모딜리아니 그림에서 이 점을 궁금해
하시니 여기에 관한 에피소드 하나를 말씀드릴게요. 여러분처럼 아
내 잔느도 궁금해 하루는 모딜리아니에게 "왜 눈동자를 그려주지 않
죠?"라고 묻자 "당신의 영혼을 그릴 수 있을 때 당신의 눈동자를 그
릴 수 있을 거야"라고 대답했다는군요. 모딜리아니다운 정말 멋진
말이죠? 눈동자가 없는 파란 눈의 이유를 굳이 찾자면 그렇다는 말
이에요. 하지만 이건 어디까지나 화가가 자기 그림에 대해 모델인
아내에게 던진 가벼운 농담일 수도 있으니 지나친 의미를 둘 필요는
없다고 생각해요. 그래서 작품은 자신의 상상을 담아 자유롭게 보시
라는 거예요.

아내를 모델삼아 이런 아름다움을 표현하고 그런 말을 했을 정도라면
모딜리아니와 잔느는 부부 사이가 무척 좋았나 봐요.

둘 사이는 그냥 좋은 정도가 아니라 심하게 좋았어요. 지나칠 정도
로요. '과유불급'이라는 말이 이럴 때 적절한지 모르겠네요.

▲아틀리에에서 카메라를 바라보며 포즈를 취한 모딜리아니와 잔느

그건 또 무슨 말씀인지 이해가 가질 않네요. 부부 사이가 좋으면 좋은 것 아닌가요?

잔느 에뷔테른이 모딜리아니를 만난 것은 그녀가 19세 때였어요. 잔느
는 부잣집 딸에 미모를 겸한 재능이 출중한 화가 지망생이었죠. 당시
모딜리아니는 33세의 가난한 화가였는데 아내 잔느와 14살이나 차이
가 났어요. 당연히 잔느 부모님은 딸의 결혼을 결사적으로 반대했지만
잔느는 결국 모딜리아니와 결혼했어요. 서양미술 사상 최고의 미남으
로 불린 모딜리아니였으니까요.

모딜리아니와 잔느의 경우, 부모가 결사적으로 반대하는 결혼을 했지만
서로 사랑하며 예쁘게 잘 사니 된 것 아닌가요?

인생이 그렇게 장밋빛으로 아름답게만 그려지는 건 아닌가 봐요. 이
그림을 완성한 지 몇 달 후 모딜리아니는 병으로 사망하고 말았어요.

▲페르 라셰즈에 있는 모딜리아니와 잔느의 무덤

무절제한 생활로 인한 건강 악화가 원인이었죠. 모딜리아니가 36세 되던 해로 이때 잔느는 22세였고 둘째 아이를 임신한 만삭의 몸이었어요. 너무나 사랑했던 모딜리아니의 갑작스런 죽음에 잔느는 그의 시신을 끌어안고 짐승처럼 한참 동안 절규했다네요. 죽은 모딜리아니보다 잔느의 슬퍼하는 모습이 더 처참했으니까요.

그렇게도 사이가 좋았으니 그 슬픔이 얼마나 컸을까요?

남편에 대한 사랑이 컸던 만큼 그 상실감도 컸던 모양이에요. 잔느는 모딜리아니가 죽은 다음 날 남편을 따라 죽고 말았어요. 잔느가 비극적인 죽음을 맞이하자 잔느의 부모님은 그녀의 묘지를 모딜리아니와 떨어진 곳에 따로 정했는데 세월이 지나 잔느의 부모님도 마음이 가라앉자 생전에 그토록 사랑했던 이 부부가 죽어서라도 함께 있도록 모딜리아니 옆으로 이장해주었다네요.

◆모딜리아니가 그린 누드화의 모델은 그의 후원자 레오폴드 즈보로브스키가 맡았다. 그는 누드화
를 그리기 위해 작은 방을 준비했고 추운 겨울날 방을 데우기 위해 석탄을 공급했다. 또한, 누드 모
델들의 모델비를 지급해 모딜리아니가 22점의 대형 그림을 완성하게 했다. 전시 카탈로그의 누드에
대해 쓴 영국 리즈대 미술사학자 그리셀다 폴락(Griselda Pollock)은 "모딜리아니의 누드 앞에 서 있을 때
그 솔직한 육체성에 당황한다. 이를 본 사람들은 모딜리아니를 이 대담한 여인들을 연인으로 거느린
남성으로 생각했지만 그는 사랑하는 아내와 옛 연인들의 누드화는 그리지 않았다. 누드인 그녀들은
즈보로브스키가 고용한 모델들이었다"라고 말했다.

이 그림 「잔느 에뷔테른」을 보면 모딜리아니는 아내 잔느를 여성적
인 아름다움을 초월해 영적 신비로움과 우아하고 고풍스러운 기품
으로 그려냈어요. 다른 모델을 그릴 때와 달리 아내 잔느만큼은 여
성이라는 한계를 초월해 신비로운 미지의 세계를 열어주는 여신과
같은 존재로 표현함 동시에 이 그림에는 둘이 주고받았던 사랑스럽
고 부드러운 눈빛이 깃든 것 같아요. 그리고 아내 잔느는 자신을 그
렇게 다정한 눈빛으로 바라보며 이 그림을 그렸을 모딜리아니를 쉽
게 떠나 보낼 수 없었나 봐요.

성 조르주와 용

19세기 말 프랑스에서 시작된 상징주의 미술은 20세기 유럽과 미국의 예술 문화에 크고 작은 영향을 미쳤다. 상징주의 예술가들은 지극히 상징적인 언어를 암시적으로 사용해 개인의 정서적 체험을 표현하고자 했다. 귀스타브 모로(Gustave Moreau, 1826 ~ 1898)는 전설이나 고대 주제를 그린 화가로 독창적인 화풍으로 보석처럼 눈부신 색채를 사용해 상징주의 미술의 정점을 보여주었다.

작품 속에 백마 탄 멋진 남성이 보이고 용도 등장하는데 이분이 조르주 성인인가 보군요. 그런데 왜 이렇게 비현실적으로 잘 생긴 거죠? 먼저 간략한 이미지 설명부터 해주시죠.

이 그림은 상징주의 화가 귀스타브 모로가 1880년 캔버스에 유화로 그린 작품으로 가로 1m, 세로 1m 40cm의 비교적 큰 사이즈의 작품이에요. 현재 런던 내셔널 갤러리에 소장되어 있어요. 방금 말씀하신 대로 작품에는 동화에서나 나올 만한 장면이 그려져 있어요. 먼저 백마 탄 주인공 조르주 성인은 아나운서께서 말씀하셨듯이 비현실적으로 너무나 잘 생긴 미남이에요. 이 미남 성인이 붉은 망토를 휘날리며 바닥에 있는 검은 용을 긴 창으로 찔러 용은 피를 흘리며 쓰

러져 있고 성인의 오른쪽 뒤로는 왕관을 쓴 공주가 바위에 앉은 모습이 희미하게 그려져 있어요.

공주를 구해주는 장면을 보니 동화 속 한 장면 같은데요.
조르주 성인이 어떤 성인이길래 이런 그림으로 표현된 건지 궁금하네요.

●●

우선 조르주 성인은 로마제국의 기사로 303년 로마박해 때 순교하신 초기 기독교 순교자 중 한 분이에요. 조르주 성인은 지금까지 미술가들에 의해 용을 무찌르는 백마 탄 기사로 자주 그려졌는데 그 이유는 11세기 무렵부터 전해져 내려오던 조르주 성인과 용의 전설에 근거한다네요.

방금 조르주 성인과 용의 전설이 있다고 하셨는데요. 어떤 것인지 궁금하네요.

●●

한 편의 드라마 같은 이야기를 소개해드릴게요.

카파도키아의 왕 세르비오스의 성이 있는 라시아 부근의 바다처럼 넓은 호수에 독기를 뿜어대며 사람을 잡아먹는 거대하고 사악한 용이 살고 있었다. 이 용이 도시 실레네까지 장악하자 사람들은 용을 진정시키기 위해 매일 양 두 마리를 갖다 바쳤다. 어느덧 도시에 양이 한 마리도 남지 않자 사람들은 어쩔 수 없이 젊은이들을 양 대신 바치기에 이르렀다. 그래서 도시의 모든 젊은이가 제물로 바쳐져 사라지고 마지막 남은 젊은이는 공주 한 명뿐이었다.

▲성 조르주 상아 부조_성 조르주의 주제는 많은 예술작품으로 제작되었는데 용을 물리쳐 인기있는 성인이다. 국가에 따라 성 조르주, 성 조지, 성 게오르기우스로 불린다.

백성들은 용에게 제물을 바쳐야 하니 공주를 내달라고 왕에게 몰려와 아우성쳤고 젊은이를 대신 바치기로 한 것은 왕 자신이 만든 규정이어서 어쩔 수 없이 사랑하는 외동딸 공주를 내줄 수밖에 없었다. 용이 나타나는 호숫가에 제물로 바쳐진 공주가 자신의 신세를 한탄하며 슬피 울고 있을 때 때마침 근처를 지나가던 조르주 성인이 그 소리를 이상히 여기고 공주에게 다가와 물었다.

▲「성 조르주와 용」_귀스타브 모로의 또 다른 연작이다.

[조르주] "공주님! 도대체 무슨 일로 이렇게 슬피 울고 계십니까? 또 저 건너편에서 당신을 지켜보는 저 사람들은 무엇을 하고 있는 겁니까?"

[공주] "당신은 젊고 용감하고 너그럽기까지 하군요. 하지만 나와 함께 죽고 싶지 않다면 어서 도망치세요."

[조르주] "당신이 여기서 무엇을 하고 있는지 말해주지 않으면 결코 이곳을 떠나지 않을 겁니다."

그러자 공주는 어쩔 수 없이 이 사악한 용 이야기와 자신이 그 용에게 제물로 바쳐진 사연을 털어놓았다.

[조르주] "걱정하지 마세요. 공주님! 내가 그리스도의 이름으로 당신을 도와드릴 겁니다."
[공주] "마음씨 고운 기사님! 죽는 건 저 하나로 족합니다. 제발 어서 떠나세요. 앗! 저기 용이! 어서 도망치세요. 기사님!"

그러나 조르주 성인은 어느새 말에 올라 용에게 돌진하고 있었다. 그러고는 하느님께 도움을 청하며 온 힘을 다해 긴 창을 용의 가슴팍에 깊숙이 밀어 넣었다. 그러자 용은 짧은 비명과 함께 땅에 고꾸라져 죽었다. 그때까지 두려움에 떨며 이 광경을 지켜보던 군중들은 환호하며 기뻐했고 하느님의 영광에 감화된 사람들은 남녀노소 할 것 없이 모두 세례를 받았다고 전해진다. 왕은 조르주 성인에게 거액의 상금을 하사하고 벼슬을 내렸지만 조르주 성인은 상금을 가난한 사람들에게 모두 나눠주고 초연히 도시를 떠났다고 전해진다.

한 편의 동화 같고 이야기 속 조르주 성인은 정말 백마 탄 멋진 기사님이 맞네요.

하지만 이것은 어떤 역사적 사실에 근거했다고 보기는 어려울 것 같아요. 평소 용감하고 정의로운 성품을 지녔던 성인의 모습과 이런 성인께서 악에 대적하는 모습을 은유적으로 표현한 거라고 생각해요. 그래서 모로뿐만 아니라 중세 시대부터 오늘날에 이르기까지 많

▲**성 조르주 조각상**_스웨덴 스톡홀름 성 니콜라스 시립 교회에 있는 성 조르주와 용의 거대한 조각상이다.

은 미술가들이 조르주 성인을 묘사할 때마다 항상 용감히 용을 무찌르는 모습으로 표현하곤 했어요. 여러분이 유럽 여행을 하면서 교회 앞이나 광장에서 기사가 창으로 용을 무찌르는 조각작품을 보신다면 거의 틀림없이 조르주 성인일 거예요.

▲**성 조르주와 용**_전기 르네상스 시대 파올로 우첼로의 작품으로 원근법의 대지가 펼쳐져 있다.

동화 속에서나 볼 수 있는 용이 등장하는
이 그림은 왠지 현실과 동떨어진 느낌이에요.
그런데도 이 그림은 정말 아름답게 느껴지고
묘한 매력을 발산하는 것 같은데 그 이유가 무엇일까요?

바로 이 '비현실적'이라는 점이 귀스타브 모로의 화풍을 나타내는 상
징주의의 대표적인 특징이에요. 모로는 19세기 상징주의를 대표하는
화가답게 비현실적 아름다움을 구현하기 위해 이 작품에서 몇 가지
장치를 사용했어요. 우선 백마를 탄 준수하고 멋진 조르주 성인을 화
면 중심에 크게 배치했어요. 그리고 천사의 날개를 연상시키는 성인
의 붉은 망토와 환하고 잘 생긴 얼굴, 백마 상당히 밝게 처리했고요.
그와 대조적으로 뒷배경인 바위산과 용은 회색조 어두운 톤으로 처
리해 성인의 모습이 밝은 빛을 발산하는 것처럼 보이게 했어요.

▲**귀스타브 모로의 하우스 갤러리**_파리에 위치한 우아한 나선형 계단이 있는 모로의 하우스는 미술관으로 개조되어 상징주의의 산실과 같은 장소로 3층 저택을 가득 채운 2,500점 작품 중 1,500점이 그의 작품이다.

귀스타브 모로가 상징주의 예술을 대표하는 화가라고 말씀하셨는데요.
상징주의 예술에 대해서도 좀 설명해주실까요?

상징주의는 19세기 말부터 20세기 초 프랑스를 중심으로 나타난 예술 사조로 미술보다 문학에서 먼저 등장해 당시 정신문화를 이끌었고 주관을 강조하고 상징화하는 소위 '표현'에 주안점을 둔 사조라고 할 수 있어요. 당시 상징주의를 대표하는 문인으로는 보들레르, 랭보, 예이츠, 릴케처럼 우리가 국어 교과서에서 자주 접한 시인들을 들 수 있어요. 그런데 상징주의 미술은 문예의 경우에서처럼 특정 이념이나 주장에 치우치기보다 신비적이면서 비현실적인 주제를 추구하는 경향으로 발전했어요. 그리고 이 작품의 주인공 귀스타브 모로는 상징주의를 대표하는 화가라고 할 수 있어요.

▲**귀스타브 모로의 「붉은 스핑크스와 여인」, 1882년 작.** 부드러운 색상의 줄무늬로 미묘하게 구성된 배경에 여성의 진주빛 흰 알몸이 두드러진다. 동굴의 젊은 아름다움은 애완동물처럼 붉은 날개를 가진 작은 스핑크스를 갖고 노는 모로의 상징주의 그림이다.

귀스타브 모로에 대해 소개해주시겠어요?

귀스타브 모로는 1826년 파리에서 건축가의 아들로 태어나 한평생 독신으로 살며 예술에 혼신의 힘을 바친 화가였어요. 모로는 젊은 시절 3년 동안 이탈리아를 여행하며 신화적 주제들을 수집해 거기서 느껴지는 인간 내면의 다양한 면모를 그림으로 표현하는 데 몰두했는데 이것이 한평생 추구한 작품 성향에 큰 영향을 미쳤어요. 예를 들어 모로는 신화적 주제 안에 담긴 인간의 슬픔, 사랑, 욕망, 고통, 기쁨 등을 자신만의 독특한 화풍으로 화폭에 담아냈는데요. 모로의 이런 작품들은 시각적으로 아름다우면서 인간 내면 깊은 곳에 울림을 주었고 이후 등장한 표현주의에도 결정적인 영향을 미쳤어요.

▲귀스타브 모로의 자화상

▲귀스타브 모로의 「레다와 백조」

그런데 귀스타브 모로의 그림은 정말 환상적이에요.

모로만큼 그림을 아름답고 환상적으로 그리는 화가는 몇 명 안될 거예요. 그리고 또 한 가지, 지도자로서 모로의 면모도 언급해야 할 것 같아요.

지도자라면 스승으로서의 자질을 말씀하시는 것 같은데
모로는 제자 양성에도 신경을 많이 썼나 보군요.

모로는 66세 되던 해 파리 최고 미술대학의 교수로 초빙되어 이름만 들으면 금방 알 수 있는 대가들을 제자로 배출했어요. 먼저 야수주의의 거장 앙리 마티스를 비롯해 「베로니카」로 소개해드린 조르주 루오 등 훌륭한 제자들을 많이 키워냈죠. 교수로서 모로는 무척 자상했고 제자들에게 "예술은 형식에 얽매이지 않고 자유로워야 한다"라는 가르침을 항상 주었기 때문에 제자들이 무척 따르고 존경했다네요.

▲**동양의 용**_상서로운 동물로 깊은 물 속에서 살며 하늘로 올라가 풍운을 일으킨 것으로 전해진다.

우리가 보통 용을 떠올리면 신성한 존재나 귀한 존재,
좋은 일을 예고하는 상징물로 여기잖아요?
그런데 오늘 들은 전설 속에 등장하는 용은 사람들을 괴롭히고
잡아먹는 흉악한 괴물로 등장하던데 서양인들이 생각하는 용의 이미지와
우리가 생각하는 이미지에 차이가 있는 것 아닌가요?

동·서양에는 용에 대한 분명한 인식차가 존재하는데 이것을 이해하려면 용이 어떤 존재인지부터 살펴볼 필요가 있어요. 동·서양을 막론하고 우리 인간은 자연, 더 구체적으로 날씨나 자연재해 앞에서 인간의 한계를 느껴요. 그래서 그것을 두려워하고 경외감까지 갖곤하죠. 그런 이유에서 자연의 모습을 대신하는 용이라는 상상 속 동물의 이미지를 생각해낸 거예요. 그런데 자연, 즉 용에 대한 두려움을 극복하는 방법에서 동·서양은 무척 다른 태도를 취했어요. 동양인들은 옛날부터 자연을 인간과 따로 떼어내 생각하지 않고 대자연과 하나가 되려고 했어요. 그래서 동양인들은 산이나 강 등의 자연을 그리며 그것을 닮고 그것의 일부가 되려고 했죠. 우리 선조들이 산수화를 그린 목적도 바로 거기에 있어요. 하지만 서양인들은 인간

▲「용과 결투를 벌이는 페르세우스」_그리스 신화의 한 장면으로 페르세우스가 안드로메다를 구출하기 위해 용과 싸우고 있다. 서양의 용은 주로 악역으로 등장했다. 귀스타브 모로의 작품이다.

을 두렵게 만드는 자연을 정복하려는 의지가 강했어요. 이처럼 동·서양이 바라본 자연에 대한 인식차는 각각의 미술에서 서로 다른 용의 이미지로 나타났는데 동양에서는 귀한 존재 또는 인간에게 좋은 일을 전하는 신성한 동물로 비춰진 반면, 서양에서는 무찔러 정복해야 할 대상으로 나타났어요.

▶용을 무찌르는 성 조르주 청동 장식상

동・서양의 용 그림에서 그런 상반된 견해차가 있었군요.
이건 좀 다른 얘기인데요. 성 조르주 이야기는 매우 낭만적이잖아요?
이런 이야기에서는 보통 백마 탄 기사님이 공주를 구하고
서로 사랑에 빠져 결혼하면서 끝나지 않나요?

그런 결말이 일반적이지만 이 이야기는 아무도 예상하지 못한 반전
이 있어 더 재미있잖아요? "공주를 구해준 이 남성은 일반인이 아닌
성인이어서 독신주의. 그래서 공주는 용에게 갈 때보다 오히려 더
절망했다."

끝으로 이 작품 「성 조르주와 용」을 통해
우리가 새롭게 생각해볼 수 있는 것은 무엇일까요?

「성 조르주와 용」 이야기는 동화 속에만 있는 건 아닐 거예요. 우리 삶
속에서 위기나 곤경에 처한 사람에게 도움을 주거나 우리를 괴롭히는
재해나 고통을 조금이라도 줄이도록 힘을 더하는 것도 성 조르주 못
지않은 멋진 기사님 같은 역할이라고 생각해요. 결국 백마 탄 멋진 기
사님은 아무리 작은 선행이라도 실천에 옮기는 사람이라는 생각이 드
네요.

칼레의 시민

회화는 르네상스, 바로크 등의 사조에 따라 발전했다. 그러나 조각은 회화와 달리 큰 변화를 주지 못했다. 그러나 조각의 고정관념을 근저로부터 깨고 새로운 전도(前途)를 개척해 조각에 대한 인식을 회화 수준으로 끌어올린 인물은 오귀스트 로댕(Auguste Rodin, 1840 ~ 1917)이었다. 로댕의 등장은 조각의 사조가 그의 등장 이전과 이후로 나뉜다고 해도 과언이 아닐 것이다. 로댕의 수많은 대표작 중 「칼레의 시민」은 숭고함이 넘친다.

작품을 보니 사람들 목이 밧줄로 묶여 있고 표정도 무척 우울해 보이는데요. 어떤 작품인지 궁금하네요. 먼저 독자분들께 대략적인 설명부터 해주시죠.

● ◗

이 작품은 로댕이 프랑스 정부의 의뢰를 받아 1884년 청동으로 제작한 것으로 세로 2m 31cm, 가로 2m 45cm나 되죠. 작품에 보이는 남성 여섯 명은 지금 사형장으로 끌려가고 있는데 죽음을 앞둔 공포와 절망, 체념 등의 감정이 표정에 잘 드러나 있어요. 비틀어진 팔이나 모든 것을 체념한 듯한 손동작, 고통스럽게 머리를 감싼 모습을 통해 죽음을 앞둔 인간의 감정 상태가 잘 드러나 있죠. 로댕은 당시 이 작품을 모두 12점 제작했는데 그중 하나인 12번째 에디션을 현재 우리나라 기업 삼성생명이 소장하고 있어요.

▲「**칼레의 시민**」_백년전쟁 중이던 1347년 칼레시가 영국군에게 함락될 당시 여섯 명의 '칼레의 시민'이 영국 왕 에드워드 3세 앞에 출두해 다른 시민들을 구했다는 역사적 이야기를 소재로 조각된 걸작이다.

이 남성들은 지금 사형장으로 끌려가는 사형수들이었군요.
어쩐지 모두 침울해 보였어요.
그런데 정부에서 제작을 의뢰했다면 뭔가 의미 있는 장면이라는
생각이 드는데 어떤 사연이 있나요?

사건의 배경은 영국과 프랑스의 백년전쟁 초기인 1347년이에요. 영국은 프랑스 항구도시 칼레를 집중공격했는데 이때 칼레 시민들은 시민군을 조직해 1년 가까이 용감히 싸우며 버텼지만 결국 패해 항복해야만 했어요. 이때 영국 왕 에드워드 3세는 저항에 나섰던 칼레 시민들을 몰살시키는 대신 칼레에서 선발한 여섯 명만 대표로 처형하겠다는 조건을 내걸었다네요.

전체 시민을 대표해 선발된 여섯 명만 처형한다고요?
칼레시 입장에서는 그나마 다행인 조건이지만
대표로 처형될 여섯 명을 선발하는 게 결코 쉽지 않았을 것 같아요.
다른 것도 아니고 목숨을 내놓는 문제잖아요.

●●

칼레 시민들은 광장에 모두 모여 여섯 명의 희생자를 어떻게 선발할지 심각한 고민에 빠졌는데 이때 칼레시 최고 부자였던 외스타슈 생 피에르가 맨 먼저 나서 희생자가 되겠다고 자원했어요. 그리고 법률가 장 데르, 부유한 사업가 피에르 드 위쌍과 그의 동생 자크 드 위쌍, 칼레시장에 이어 마지막으로 청년 한 명이 순서대로 희생자로 자원했어요.

최고의 부자, 법률가, 사업가, 시장,
모두 잘 나가는 사람들이 목숨을 내놓겠다고 먼저 나섰군요.
정말 훌륭한 행동이네요.

●●

이 사건을 보면 우리가 흔히 말하는 '노블레스 오블리주(Noblesse Oblige)'가 생각나지 않나요? '귀족은 귀족으로서의 의무를 지닌다.'라는 뜻인데요. 신분이 높은 자는 그에 상응하는 도덕적 의무도 함께 지닌다는 뜻이죠. 즉, 높은 지위와 혜택을 누리는 만큼 사회에 봉사해야 한다는 뜻이에요. 그래서 이 사건은 '노블레스 오블리주' 정신의 표본을 가장 잘 보여준 사건이에요.

▶▶칼레시 마을회관 앞에 있는 「칼레의 시민」청동 군상

'노블레스 오블리주' 정신의 표본이라는 말이 딱 들어 맞네요.
여섯 명의 지원자는 결국 숭고한 죽음을 맞이했겠네요.

전해지는 이야기에 따르면 당시 임신 중이던 영국 왕비 필리파가 뱃속 태아를 위해 살인만은 피해달라고 남편에게 간청했고 에드워드 3세는 왕비의 청을 받아들여 결국 이들을 사면해주었다네요. 프랑스 정부에서는 '노블레스 오블리주' 정신의 모범을 보인 이들을 기리기 위해 1884년 로댕에게 이 작품을 의뢰했고 그렇게 작품이 완성된 거예요.

이 작품을 보면서 궁금한 점이 하나 있는데요.
작품 속 여섯 명은 시민들의 목숨을 구하기 위해
스스로 자신들의 목숨을 아낌없이 내놓았잖아요?
그렇다면 당연히 의기양양할 모습일 것 같은데 표정이나
몸동작이 의인들의 모습으로 안 보이고 너무 슬퍼 보여요.

사실 그 점이 이 작품의 가장 중요한 부분이에요. 당연히 작품을 의뢰했던 프랑스 정부의 의도는 사형장으로 끌려가면서도 늠름하고 비장한 영웅들의 모습이 재현되길 기대했어요. 하지만 로댕이 완성한 작품은 프랑스 정부의 의도와 전혀 달랐어요. 왜 그랬을까요? 그 이유는 이 사건의 이면에 숨겨진 사실 때문이에요. 역사학자들이 14세기 칼레시 항복 관련 문건 20여 개를 모두 살펴본 결과, 에드워드 3세는 칼레시민은 물론 시 대표로 선발된 여섯 명도 처음부터 처형할 의도가 없었던 것 같다네요. 단지 죄인들이 속죄하는 뜻에서 맨발로 거리를 돌았던 당시 종교적 관습을 본따 시민대표자들을 선발해 항복의식을 거행하도록 했을 뿐이라는 거예요. 그런데 프랑스의

▲「칼레의 시민들」_프랑스 칼레를 점령한 영국 왕 에드워드 3세가 왕비의 조언을 받아들여 칼레의 시민들을 석방하는 장면으로 장 시몽 베르텔레미의 작품이다.

연대기 작가 장 푸아르사르가 이 일화의 일부를 왜곡해 미화시켜 칼레 영웅들의 숭고한 희생담으로 탈바꿈시키면서 16세기 프랑스인들의 감성을 사로잡았던 거예요. 그리고 19세기 접어들면서 민족주의와 애국심을 고취시키기 위해 다시 한번 신화로 재창조되면서 프랑스 정부가 로댕에게 이 작품을 의뢰한 거예요.

▲오귀스트 로댕   ▲작업장의 로댕

완벽한 반전이 있는 사연이네요.
어쨌든 로댕은 의뢰인의 의도를 따르지 않은 셈이 되었군요.

●◖◗

이런 역사적 사실을 이미 알았던 로댕은 단순히 정치인들의 선전성 의도를 따를 수 없었던 거예요.

'노블레스 오블리주' 정신의 말씀을 듣고 큰 감동을 받았는데
이면에 역사적 왜곡과 미화가 숨어 있었다니 당황스럽네요.
그래서 이야기는 끝까지 들어봐야 하나 봐요.
역사적 사실이 엄연히 기록으로 남아 있는 사건을 미화하려고 했던
프랑스 정부의 의도가 좀 심했던 것 아닐까요?

●◖◗

로댕은 '현대 조각의 아버지'로 불리는 세계 최고의 조각가이자 인문적 성찰이 탁월하기로 이름난 지성인이었어요. 그래서 로댕은 자신의 손으로 역사를 미화하거나 과장하는 작품을 더더욱 만들고 싶지 않았을 거예요. 그래서 그는 칼레시를 대표하는 시민 여섯 명의 모

습을 표현하면서 조국을 위해 당당하고 늠름하게 목숨을 내놓는 영웅의 모습으로 표현하는 것을 거부했어요. 그 대신 아무도 피해갈 수 없는 죽음 속으로 걸어 들어가는 인간의 모습을 작품에 담았던 거예요. 작품을 보면 어둡고 슬픈 표정뿐만 아니라 축 처진 어깨나 얼굴 각도, 모든 것을 체념한 듯한 힘 없는 손과 무거운 발걸음까지 섬세히 표현해 죽음을 앞둔 인간의 솔직한 심정을 빚어놓은 거예요. 사실 이 모습이 평범한 칼레 시민이자 우리 인간의 참모습이라고 생각해요.

작품을 보니 죽음을 앞둔 인간의 내면적 고통과 아픔이 절실히 느껴지네요. 조각이라기보다 영화나 연극의 한 장면을 보는 것처럼 무척 실감나요.

조각에서 인간의 감정 표현이 드라마틱하게 연출되기 시작한 시기는 그리스 시대로 이후 르네상스 시대 미켈란젤로에 이르러 이런 드라마틱한 표현의 정점을 찍었어요. 로댕은 미켈란젤로를 무척 존경해 미켈란젤로의 특기인 인체 표현이나 표정 등을 통한 감정 묘사기법을 계승해 작품 안에 탁월하게 녹여낸 흔적이 보여요. 여기에 더해 로댕은 늘 자신만의 독자적인 인문적 성찰을 작품에 담아내 작품 감상자들이 철학적이고 미적인 사유의 세계에 빠지도록 이끄는 재능을 발휘한 것으로 잘 알려져 있어요.

프랑스 조각가 오귀스트 로댕의 1884년 작품
「칼레의 시민」에 대한 이야기를 나누면서 프랑스와
영국의 백년전쟁과 칼레의 항복, '노블레스 오블리주'의 의미,
역사적 왜곡과 미화까지 들어보았습니다.
끝으로 이 작품 「칼레의 시민」을 통해
우리가 새롭게 생각해볼 수 있는 것은 무엇일까요?

로댕의 작품을 통해 귀족은 의무를 지닌다는 '노블레스 오블리주' 정신을 생각해봤는데요. 역사적 미화든 과장이든 혜택을 많이 받은 사람이 더 많은 희생을 해야 한다는 이 정신은 우리가 본받을 만큼 훌륭한 것이라고 생각해요. 서구 사회에서는 노블레스 오블리주 정신에 큰 가치를 두기 때문에 전쟁 발발이라는 국가적 위기상황 때마다 귀족 자제들이 앞장서 입대해 용감히 싸우다가 전사도 많이 했다네요. 우리 한국 사회에서도 이런 정신은 훌륭히 실현되고 있어요. 그런데 노블레스 오블리주는 특정인만 할 수 있는 건 아니라고 생각해요. 누구든 자신의 재능이나 지식을 사회적 약자를 돕는 데 사용한다면 노블레스 오블리주를 실천하는 거라고 생각해요. 그럼 내가 바로 도덕적 의무를 실현하는 고귀한 귀족, '노블레스 오블리주'의 주인공이 되는 거예요. 그리고 이 시간을 빌어 도움이 필요한 곳에 후원해주시고 도와주시는 천사님들께 감사드리고 싶어요. 여러분이 바로 노블레스 오블리주를 실천하는 고귀한 귀족이세요.

◀◀ **「칼레의 시민들」**_높은 곳에 우뚝 서서 무리를 이끄는 장군만 영웅인 것은 아니다. 로댕은 똑같은 높이에서 공포에 떨며 어렵게 한 걸음씩 나아가는 이들의 모습을 통해 진정한 영웅의 모습을 표현했다.

빅토리 부기우기

피트 몬드리안(Piet Mondrian, 1872 ~ 1944)은 바실리 칸딘스키와 더불어 추상회화의 선구자로 불린다. '데 스테일' 운동을 이끌었으며 신조형주의라는 양식을 통해 자연의 재현적 요소를 제거하고 보편적 리얼리티를 구현하고자 노력했다. 그의 기하학적 추상은 20세기 미술과 건축, 패션 등 예술계 전반에 새로운 시야를 열어주었다. 그의 작품은 추상주의의 선두가 되었으며 미술, 그래픽 디자인, 패션계 등 예술 전반에 지대한 영향을 미쳤다.

이번 장에서는 어떤 작품을 소개해주시나요?

네덜란드 작가 피트 몬드리안의 1944년 작품으로 그의 유작 「빅토리 부기우기」를 소개해드릴게요.

일반적으로 유작은 작가 일생의 작품 성향을 반영하기 때문에
특별한 의미를 갖잖아요? 기대가 많이 되는데요.
이 작품의 대략적인 설명부터 부탁드려요.

이 작품은 현재 네덜란드 헤이그 시립미술관에 소장되어 있고 크기는 가로, 세로 각각 1m 27cm예요. 특이하게 마름모꼴로 기운 캔버스 위에 제작되었고 빨강, 노랑, 파랑 삼원색과 하양, 검정, 회색의 크고

▲▼네덜란드 헤이그 시립미술관 전경(위)과 입구(아래)

작은 사각형들이 리드미컬하게 배열된 구성으로 미완성 작품이에요.

이 작품은 제가 아는 몬드리안 작품과 좀 다른 느낌이네요.
작품에 대해 더 자세한 설명 부탁드려요.

몬드리안 작품의 일반적인 특징으로 맨 먼저 떠오르는 것은 빨강, 파랑, 노랑 삼원색과 수직, 수평으로 그어진 검은 선들이죠. 몬드리안이 40대에 시작해 거의 한평생 몰두했던 추상, 소위 '차가운 추상'이라고 부르는 스타일은 수평, 수직선을 사용한 절대적으로 정확하고 절제된 구성, 삼원색과 무채색만 사용해 사물의 보편적인 특성과

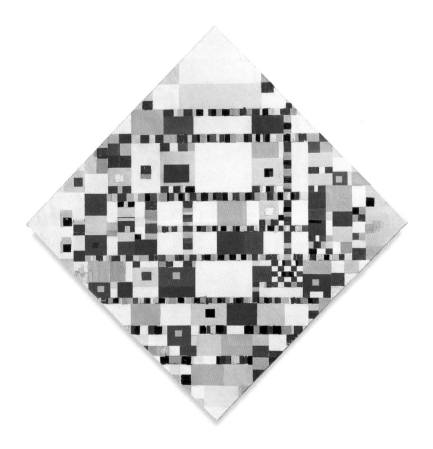

▲「빅토리 부기우기」_1944년 몬드리안이 뉴욕에서 사망할 당시 미완성으로 남긴 작품이다. 몬드리안은 죽기 하루 전에도 이 작품에 몰두했다.

본질을 표현하는 것이었어요. 이 구성에서는 원이나 대각선조차 허락되지 않았죠. 하지만 오늘 소개하는 「빅토리 부기우기」는 비록 미완성 작품이지만 그동안 그가 추구해온 작품 성향과 상당한 차이를 보이는 독특한 작품이라고 할 수 있어요.

▲「빅토리 부기우기」_네덜란드 헤이그 쿤스트 박물관 컬렉션에 소장되어 있다.

작품이 비슷해도 차이가 좀 있는 것 같네요. 말씀하신 검은 선들이 전혀 보이지 않아요.

이 작품 「빅토리 부기우기」도 어차피 몬드리안의 구성이라는 테두리 안에 있으니 일반적으로 보면 모두 비슷비슷해 보일 거예요. 하지만 몬드리안에게 이 작품은 파격이고 지금까지 자신이 살아온 삶의 방식에 반전이 일어났다고 할 만큼 자신의 틀을 깬 작품이라고 할 수 있어요. 우선 이전 작품과 비교해 검은 선이 사라진 것이 가장 큰 특징이고 대각선을 부정하던 그가 이 작품에서는 아예 마름모를 기본 형태로 시작해 사각형을 그려 넣은 것도 파격이라고 할 수 있죠. 그리고 기존 작품들과 달리 색들이 교차하며 만들어내는 선 위에 다시 크고 작은 사각형을 배치해 유려한 느낌을 주고 활기찬 분위기를 연출했어요.

▲「빨간 나무」_몬드리안의 초기 작품으로 광미주의자 시대를 보여주며 실제 색상보다 더 밝고 윤곽은 단순화에 그려져 있다. 그의 나무는 추상적인 입체주의로의 변화를 보여준다.

설명을 듣고 보니 달라진 작품의 특징이 확연히 눈에 띄네요.
그런데 화가의 신념이자 철학이라고 할 수 있는 작품 성향이
이렇게 크게 바뀐 데는 어떤 계기가 있었을 것 같은데요.

●●◑

그것은 몬드리안이 체감한 환경 변화에 있었다고 저는 생각해요. 몬드리안이 소위 '차가운 추상'을 통해 엄격하고 절대적인 아름다움을 추구하게 된 동기로 제1차 세계대전의 영향이 컸어요. 전쟁과 같은 예측 불가능한 불안한 세계와 반대로 질서정연하고 정확한 세계인 그만의 유토피아를 꿈꿨던 거예요. 그런데 제2차 세계대전이 일어나면서 활동무대를 뉴욕으로 옮긴 몬드리안은 전쟁 중이던 유럽과 대

조적으로 생동감 넘치고 활기찬 새로운 도시에서 엄청난 충격을 받았어요. 이 시기를 계기로 몬드리안의 작품에 큰 변화가 나타났는데 그렇게 엄격하고 절대적이던 표현들이 사라지고 즐겁고 경쾌한 리듬과 자유로운 인간적 숨결이 그의 작품에 자리잡았어요.

몬드리안하면 수도승처럼 절제된 삶을 살았던 것으로 아는데
단순히 환경이 바뀌었다고 작품 성향에 이렇게 큰 영향을 받지는 않았을 것 같은데요.
구체적으로 뉴욕의 어떤 점에 매료되었을까요?

뉴욕생활 이전의 몬드리안은 세계적 명성을 얻었음에도 한평생 독신으로 지내며 작업실도 단조롭게 꾸미고 음식도 콩과 감자만으로 소박하게 먹으며 지낸 것으로 알려져 있어요. 그렇게 자신의 삶도 작품을 위해 단련했던 것이죠. 그런데 인생 말년에 뉴욕에서 느낀 새로운 도시의 매력은 그가 평생 추구했던 엄격하고 금욕적인 삶을 버리고 자유분방하고 즐거움을 추구하는 태도로 바꿔놓기에 충분했어요. 그중 가장 큰 영향을 미친 것이 바로 '부기우기 음악'이었어요.

'부기우기 음악'에 대해 더 자세히 설명해주세요.

'부기우기 음악'은 당시 유행하던 재즈 음악의 일종으로 1930~1940년대가 배경인 영화를 보면 다이내믹하고 리드미컬한 피아노 반주에 맞춰 춤추는 장면이 자주 등장하는데 이 음악이 바로 '부기우기 음악'이에요. 70대이던 몬드리안은 이 음악과 춤에 매료되어 매일 저녁 부기우기 음악과 춤이 있는 술집을 찾아가 흥에 빠졌다네요. 전해지는 말로는 몬드리안이 직접 부기우기 춤을 추고 싶어 시도는

▲**부기우기 춤**_1870년대 아프리카에서 끌려온 노예들 음악의 영향을 받은 음악으로 1920년대 후반 등장해 1930년대 본격적으로 유행했다.

했지만 워낙 몸치여서 나중에는 남들이 춤추는 것을 바라보는 데 만족했다네요. 하기야 부기우기 춤 동작이 너무 과격해 70대인 몬드리안에게는 좀 무리였을 테고 마음만 앞섰겠죠.

그래서 이 작품 제목에도 '부기우기'라는 단어가 들어 있군요. 혹시 몬드리안이 이런 그림으로 자신이 흠뻑 취한 '부기우기 음악'을 표현한 것 아닐까요?

●●

몬드리안은 부기우기로 대변되는 뉴욕의 매력에 푹 빠져 한평생 엄격히 절제해온 모든 삶에서 보상이라도 받듯 시간을 즐겁게 보내다가 72세에 생을 마감했는데요. 이 「빅토리 부기우기」는 흥겨운 음악 리듬, 격렬한 춤 동작 그리고 그 부기우기 춤과 음악이 펼쳐지던 모든 상황과 분위기, 시끌벅적한 사람들의 웃음소리까지도 모두 종합

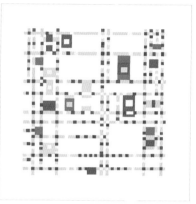

▲「빅토리 부기우기」_자신의 삶과 음악에 대한 몬드리안의 애정이 작품에 반영되어 있다.

▲「브로드웨이 부기우기」_1940년 몬드리안이 뉴욕으로 이주해 1943년 완성한 작품이다.

적으로 표현한 거예요. 몬드리안만의 독특한 방식으로요.

설명을 듣고 그림을 보니 그림 속에서 흥겨운 춤과 음악이 느껴지는 것 같아요. 그런데 아무리 생각해도 사람의 가치관이 이렇게 급변할 수 있다는 게 정말 놀라워요.

모두 그렇게 생각할 수도 있겠지만 저는 몬드리안이 죽기 두 달 전 이 그림을 그리면서 했다는 말을 들어보면 생각이 달라질 거라고 생각해요. 그는 "이제서야 내가 평생 바라던 구성을 찾았다"라고 말했거든요. 예술가에게 이 말은 "평생 내가 꿈꾸던 인생을 찾았다"라는 말과 같겠죠. 어쩌면 몬드리안은 뉴욕에 와 하루 아침에 변한 것이 아니라는 생각이 들어요. 젊은 시절 그가 절대적이고 엄격한 신조형주의의 가치를 발견했듯이 그의 노년에 삶에서 진정으로 중요한 것

▲**피트 몬드리안의 자화상** 몬드리안은 뉴욕의 활동적이고 역동적인 음악으로부터 받은 영감을 작품에 반영했다. 그렇게 완성한 작품이 「부기우기」의 연작이다.

을 새로 발견한 것인지도 모르죠. 인간이 살아가면서 누리는 최고의 가치, 그가 발견한 새로운 가치는 어쩌면 그런 흥겨운 음악과 춤, 사람들의 즐거운 웃음에 있었겠죠.

네덜란드 화가이자 '차가운 추상'의 대가인 몬드리안의 「빅토리 부기우기」 이야기를 들으면서 부기우기 음악과 춤 이야기까지 나눠봤습니다. 끝으로 우리가 이 「빅토리 부기우기」 작품을 통해 새롭게 생각해볼 수 있는 것은 무엇일까요?

전쟁을 계기로 수백 년 동안 서구인들이 추구해온 관념을 바꿨듯이 자신이 한평생 추구해온 절대주의 예술관을 70대에 완전히 바꿔버린 몬드리안은 그것을 '변화'라기보다 '완성'이라고 불렀어요. 여러분! 나이가 많다고 꼭 살아온 대로 살아야만 점잖은 어른으로 대접받는 걸까요? 꼭 그래야만 체면이 서는 걸까요? 지금까지 어떤 삶을 살아왔든 남들이 뭐라든 나이에 구애받지 않고 춤추고 싶으면 적극적으로 춤추고 즐거워했던 몬드리안은 그것을 변화라고 부르지 않고 인생의 완성이라고 불렀어요. 저도 '인생의 완성'이라는 그의 말에 적극적으로 공감 한 표를 '꽝' 찍어요.

연인들

벨기에의 초현실주의 화가 르네 마그리트(Rene Magritte, 1898 ~ 1967)는 1940년대 중 · 후반 프랑스어로 야수파를 뜻하는 '포비즘'이라는 단어의 패러디로 암소를 의미하는 '바슈 Vache'라는 용어를 만들어 스스로 '바슈' 시대라고 부르는 매우 현란하고 밝고 공격적이고 쾌락적인 다수의 작품을 선보였다. 장난기 가득하고 기발한 상상력이 돋보이는 그의 작품은 감상자에게 관습적인 사고로부터의 일탈을 유도한다.

이 작품은 매우 독특하면서도 강렬한 느낌인데요. 어떤 작품인지 소개해주시죠.

이 작품은 누구든 한 번만 봐도 좀처럼 잊혀지지 않는다네요. 그만큼 강렬한 느낌인데요. 오늘은 벨기에의 초현실주의 화가 르네 마그리트의 1928년 작「연인들」을 소개해드릴게요.

그림을 보면 남녀가 키스하는 것 같은데 이상하게도 얼굴에 흰색 천을 뒤집어썼어요.
작품 제목과 어울리지 않는데 뭔가 의미심장한 사연이 담긴 것 같아요.
더 자세히 설명해주시겠어요?

이 작품「연인들」은 르네 마그리트가 그린 연인 시리즈 중 하나로 더 엄밀히 말하면 제목도「연인들 II」라고 하는 게 맞아요. 하지만 오늘

▲「**연인들**」_르네 마그리트의 초현실주의의 대표작이다.

은 그냥 「연인들」이라고 부를게요. 이 그림은 마그리트가 30세 되던 1928년 캔버스에 유화로 그린 작품으로 가로 73cm, 세로 54cm이고 현재 뉴욕 현대미술관에 소장되어 있어요. 남녀 한 쌍이 얼굴에 흰색 천을 뒤집어쓰고 다정히 포옹하며 로맨틱한 키스를 나누는 무척 아이러니한 모습을 연출했어요.

▲「키스」_사실주의 미술의 대가 카롤루스 뒤랑의 작품으로 아내와 사랑스러운 키스를 나누는 장면이다. 마그리트의 「연인들」과 대조적이다.

이 작품을 본 사람들이 왜 그렇게 강렬한 인상을 받았는지 조금 알 것 같네요.
다정히 키스를 나누는 연인이 서로 알아볼 수 없도록 흰색 천을 뒤집어쓴 모습이
너무 괴상하거든요.
그런데 그림 속 남녀는 왜 답답하게 천을 뒤집어썼을까요?

●●

남녀가 다정히 키스를 나누는 것은 매우 에로틱한 상황이잖아요? 그런데 그림 속 두 사람이 흰색 천으로 얼굴을 가린 이유가 궁금한 것이 이 그림을 보는 사람들의 공통적인 생각이죠.

보통 연인들이 키스할 때는 눈은 감을 수 있지만 이렇게 얼굴에 천을 뒤집어 쓰진 않잖아요?

●●

연인들이 키스할 때 눈을 감는 건 키스에 더 몰입하기 위해 온몸의 감각을 모으는 무의식적 행위라고 해요. 그럼 이 그림에서 천으로 서로 얼굴을 가린 것도 이와 관련 있을까요? 저는 마그리트가 이 장

226_친절한 미술관

▲「키스」_프란체스코 하예즈의 작품으로 전쟁터에 나가는 연인인 기사와의 마지막 애틋한 키스 장면이다.

면에서 소위 사랑에 대해 우리가 어떻게 생각하는지 묻고 있다고 생각해요.

사랑에 대한 우리의 생각을 묻는다고요?
무슨 말씀인지 도무지 이해가 되질 않네요.
하지만 지금 말씀하신 '사랑이란 무엇인가?'라는
질문은 쉬우면서도 가장 어려운 질문이라고 생각해요.

물론이죠. 저도 그렇게 생각해요. 사실 "사랑이란 무엇일까?"라는 질문은 다소 통속적이면서도 흔하고 식상한 질문 같지만 의외로 이것에 대해 진지하게 생각해본 시간은 많지 않았던 것 같아요. 마그리트는 이 그림을 통해 '사랑하는 연인 사이'더라도 서로에 대해 너무 모르는 경우가 많다는 것을 보여주려고 한 것 같아요.

▲「연인들 1」_마그리트의 「연인들」 연작 그림으로 얼굴을 천으로 가린 두 사람은 많은 의미를 내포하고 있다.

사랑하는 사람끼리 서로에 대해 잘 알지 못한다고요?
하지만 서로 사랑을 확인한 부부나 연인들은 서로에 대해 잘 알기 때문에
상대방을 신뢰하고 믿어주는 것 아닐까요?

물론 그렇죠. 하지만 상대방을 사랑하는 것을 넘어 상대방에게 지나치게 집착하면 그 열정 때문에 상대방을 제대로 못 보는 경우가 생길 수도 있거든요. 그래서 자칫 상대방을 자신이 보고 싶은 방향으로만 몰고 갈 수 있는데요. 자신의 이상형에 억지로 상대방을 끼워맞춘다고나 할까요? 또한, 자신이 상대방에 대해 모든 것을 안다는 착각 때문에 상대방의 모든 것을 자기 좋을 대로 바꾸려는 시도가 발생하죠. 이것은 상대방을 있는 그대로 바라보지 못해 일어난다고 할 수 있어요. 이런 일은 심지어 사이 좋은 부부나 사랑하는 연인 사이에서도 있을 수 있어요. 아이러니하게도 세상에서 가장 사랑하는

사람들 사이에서 소통 부재가 의외로 많이 발생하잖아요? 마그리트는 이렇게 우리 일상에서 흔히 경험할 수 있지만 우리가 자각하지 못하는 감정이나 느낌을 「연인들」이라는 작품을 통해 강렬하고 독특한 장면으로 표현한 거예요.

이 작품은 우리에게 정말 많은 생각을 하게 하네요.
그림이 충격적이면서 특별한 느낌을 줘서 더 그런가 보죠?

요즘 현대미술 작품들이야 워낙 독특하고 기상천외한 것이 많잖아요? 하지만 르네 마그리트가 활동하던 1920년대만 하더라도 이 정도로 독특한 작품이 얼마나 충격적이었겠어요? 사실 100년이 지난 오늘날을 살아가는 우리에게도 이 작품은 분명히 충격적이고 새로운 느낌을 주니 말이에요. 이런 느낌은 바로 르네 마그리트의 대표적인 '데페이즈망' 기법 때문이에요.

'데페이즈망' 기법이라고요? 쉽게 설명해주시면 좋겠네요.

사실 '데페이즈망' 기법은 르네 마그리트가 즐겨 사용한 기법이기 때문에 그의 작품을 이해하려면 이 기법을 알아야 해요. '데페이즈망(Depaysement)'은 프랑스어로 '낯선 곳에 위치하다'라는 뜻으로 '낯선 만남', '낯선 배치'를 의미해요. 이 작품에서 남녀가 키스하는 행위 자체는 우리에게 익숙한 모습이죠. 그리고 어떤 사물에 흰색 천이 덮인 것도 별로 낯설진 않잖아요? 하지만 키스하는 남녀의 얼굴이 흰

색 천으로 덮여 있다면 이 장면은 우리가 경험하거나 본 적이 거의 없는 무척 낯선 모습이어서 우리에게 더 충격적이면서 기괴한 느낌마저 주는 거예요. 이런 느낌을 유발하기 위해 르네 마그리트가 생각해낸 방법이 바로 이 '낯선 사물의 배치', '낯선 만남'이에요. 이것을 미술에서 '데페이즈망' 기법이라고 불러요.

> '데페이즈망' 기법에 대한 설명을 듣고
> 이 작품을 다시 보니 정말 낯설고 충격적이면서
> 살짝 오싹한 느낌마저 드는데요.
> 제가 너무 민감하게 느낀 걸까요?

오싹한 느낌마저 들었다는 말을 지금 르네 마그리트가 들었다면 매우 기뻐할 거예요. 르네 마그리트는 초현실주의 거장답게 우리가 일상에서 흔히 볼 수 있는 아름다운 이미지보다 현실에 존재하지 않거나 흔히 볼 수 없는 낯선 이미지를 통해 느껴지는 기묘한 감정을 전달하려고 했거든요. 말씀드린 대로 낯선 만남을 이용한 데페이즈망 기법은 때때로 우리에게 왠지 기괴하면서도 살짝 오싹하거나 불편한 느낌을 주는데요. 이런 느낌을 '언캐니(Uncanny)'라고 불러요. 이 말은 '낯익은 낯섦'을 뜻하는데 원래 프로이트의 독일어 논문에 나온 '운하임리히(Unheimlich)'라는 용어를 영어로 번역한 거예요. 이 '언캐니'는 늘 친숙하고 편하게 느껴온 것이 어느 날 매우 낯설고 왠지

◀◀ 「피레네 산맥의 성」 _바다 위에 뜬, 돌성으로 덮인 큰 바위를 묘사한 이 작품은 불가능한 꿈을 의미하는 스페인의 성을 묘사하며 '데페이즈망' 기법을 잘 보여준다.

▲「골콩드」_'겨울비'라는 제목의 그림으로 그림 속 중절모와 코트 차림의 남성은 마그리트가 자신의 작품에 수없이 등장시킨 그의 대표적인 아이콘이다.

설고 섬뜩하고 기묘한 느낌을 주는 것을 말해요. 바로 이 작품「연인들」처럼 말이에요.

이 작품에서 느껴지는 섬뜩하고 기묘한 느낌을 '언캐니'라고 하는군요. 선생님의 설명을 들으면서 이 작품을 다시 보니 르네 마그리트는 사람들에게 새로운 느낌과 감동을 주기 위해 무척 고민하며 연구하는 자세로 작업한 화가라는 생각이 드네요.

마그리트가 이런 이미지를 창조하는 과정에는 당시 프랑스 철학자 미셸 푸코(Michel Foucault, 1926 ~ 1984)의 영향이 컸어요. 마그리트는 푸코의 『말과 사물』이라는 책에 무척 심취했고 당시 철학자들이 연구했던 말, 문자, 그림 등 '일종의 기호에 관한 문제'도 깊이 연구했어요. 그래서 오늘날에도 기호학을 공부하는 학자들이 즐겨 감상하며 도움을 받는 미술작품이 마그리트의 작품이라네요. 마그리트는 자

▲「**거짓 거울**」_눈은 내면의 주관적 자아와 외부 세계 사이 문턱의 위치를 감안할 때 많은 초현실주의 시각을 매료시킨 주제다.

신의 작품을 보면서 우리가 더 새롭고 기발한 상상에 빠져들길 바랐는데요. 그래서인지 마그리트는 미술에 대해 누구보다 고민을 많이 한, 철학자와 같은 미술가였어요. 그리고 마그리트의 작품은 우리에게 생각할 수 있는, 더 유식한 표현으로 '사유를 유발하는' 것들이 정말 많죠. 이 작품 「연인들」처럼요.

그런데 이렇게 연인 사이의 소통 부재가 가져오는 고통을 독특하게 표현한 르네 마그리트 자신은 연인과의 소통은 잘 하면서 지냈나요?

르네 마그리트는 당대 다른 예술가들에 비해 무척 가정적이고 아내에게도 충실했어요. 하지만 마그리트는 이 그림을 그린 지 10년째 되던 해 다른 여성과 사랑에 빠지는 대형사고를 쳤어요.

이해를 돕기 위해 마그리트의 아내 조제트 이야기부터 시작하는 게
좋겠네요. 마그리트가 13세 때 그의 어머니는 우울증으로 자살하고
마그리트는 긴 방황의 시절을 보냈죠. 그러던 중 15세 때 마을 축제
에서 아내 조제트를 만나 사랑을 느끼고 마음의 안정을 찾아 이때부
터 본격적으로 미술공부도 하고 디자인 회사에 근무하면서 화가활
동도 할 수 있었어요. 마그리트는 자신의 아내이자 정신적 지주이자
첫사랑인 조제트에 대한 사랑을 작품 속에 자주 표현하며 애정을 과
시했어요. 그런데 40세 무렵 동료 여류화가와 사랑에 빠진 거예요.
그리고 아내 조제트가 그 사실을 알까 봐 기상천외한 일을 꾸몄는데
요. 매력적인 남성 화가였던 자신의 친구에게 아내 조제트를 유혹해
달라고 부탁한 거예요.

조제트가 그 친구를 좋아하게 되면 자신에게 신경을 덜 쓰게 되고
그래야만 자신이 다른 여자와 만나는 것이 들키지 않을 거라고 생각
한 거죠. 그런데 아내 조제트가 어느 순간 그 친구를 정말 좋아하게
되었고 그 친구도 조제트를 진정으로 사랑하게 되면서 연인관계가
되었어요. 그래서 그 친구가 모든 내막을 조제트에게 전부 털어놨어요.

너무 막장인가요? 어느 순간 모든 게 잘못되었음을 감지한 마그리트는 자신의 부적절한 관계를 청산하고 아내에게 백배사죄해 둘은 가까스로 이전 상태로 회복할 수 있었어요. 이후 아내 조제트에게 미안했는지 마그리트는 더 충실하고 좋은 남편이 되어 서로 잘 지냈다네요. 마그리트가 죽은 후에도 조제트는 마그리트를 그리워하며 그의 작품들을 잘 보존하고 지켜내면서 마그리트를 추앙하는 작업을 하다가 몇 년 후 그의 뒤를 따라갔다네요.

끝으로 이 작품 「연인들」을 선생님은 어떻게 보십니까?

생각해보면 상대방에게 아무리 보여주고 싶어도 도저히 보여줄 수 없는 게 사람 마음이에요. 그러니 내가 사랑하는 사람이 내 마음을 알아주지 않는다고 절대로 원망할 이유가 없는 것 같아요. 이 그림 「연인들」을 보더라도 그런 상황은 누구에게나 일어난다는 것을 알 수 있잖아요? 그러니 상대방과 소통이 안 된다고 너무 비관할 필요가 없어요. 우리 인간사에 당연히 발생하는 일이라고 봐야 하지 않겠어요?

pe**친절한 미술관**

마리포사

미국 조각가 알렉산더 스털링 칼더(Alexander Stirling Calder, 1898 ~ 1976)는 움직이는 미술인 '키네틱 아트(Kinetic Art)'의 선구자다. '몬드리안의 작품을 움직이게 하고 싶다'라는 생각으로 '움직이는 조각(모빌)'을 제작함으로써 조각을 대좌(臺座)와 양감에서 해방시켰다. 그는 자신이 발명한 모빌을 이렇게 예찬했다. "대부분의 사람들에게 모빌은 움직이는 평면체에 불과하지만 일부 사람에게 그것은 시가 될 수도 있다."

이 작품은 우리가 생활 속에서 늘 쉽게 접하는 모빌이군요.
장난감 같기도 한데요. 어떤 작품인지 소개해주시죠.

미국의 현대 조각가 알렉산더 스털링 칼더의 조각작품인데요. 스페인어로 '나비'라는 뜻의 「마리포사」라는 작품이에요.

작품을 보니 색색의 얇은 조각들이 나비처럼 자유롭게 훨훨 나는 것 같고
아기들 침대 위에 걸려 있는 모빌 같기도 한데요. 이미지 설명부터 간단히 해주세요.

이 작품 「마리포사」는 알렉산더 스털링 칼더가 제2차 세계대전 직후 철사와 철조각으로 만든 움직이는 조각, 모빌인데요. 이 작품의 크기

길이나 폭이 전체적으로 3m가 넘어요. 이 작품은 전체적으로 검정을 사용하면서 하양과 빨강, 노란색의 얇은 철 조각을 철사에 연결해 중심을 잡아 설치함으로써 바람이 부는 대로 움직이는 조각이 된 건데요. 이렇게 움직이는 조각작품을 방금 말씀하신 대로 정말 '모빌'이라고 해요.

모빌은 원래 아기들 침대 위에 걸어놓거나 집 현관에 걸어놓는 게 전부라고 생각했는데요. 이렇게 미술작품으로도 있는 줄은 몰랐어요.

지금 아나운서께서 말씀하신 대로 대부분 아기들 침대 위에 이쁘게 걸어놓은 것을 모빌로 생각하세요. 그런데 오늘 소개해드리는 이런 움직이는 조각을 미술에서도 '모빌(Mobile)'이라고 불러요. 그래서 모빌은 원래 미술의 한 형태로 탄생했고 이 모빌이 우리 생활 속에서 이런저런 형태로 응용되어 사용되고 있는 거예요. 이렇게 모빌을 세계 최초로 창조해 미술의 한 장르로 정착시킨 인물이 오늘 소개하는 알렉산더 스털링 칼더라는 조각가예요.

그런데 모빌을 영어로 써놓은 게 우리가 흔히 '모바일'이라고 부르는 그 철자와 똑같은데요. 같은 철자를 '모빌'과 '모바일'로 왜 다르게 읽나요?

'모빌(Mobile)'과 '모바일(Mobile)'은 사실 같은 말이에요. 우리가 매일 사용하는 인터넷에 연결된 휴대폰이나 노트북 컴퓨터를 모바일이라고 부르죠. 여기서 모바일은 '움직일 수 있는, 이동할 수 있는'이라는

▲알렉산더 스털링 칼더가 1957년 뉴욕 아이들 와일드 국제공항 도착동 건물에 걸 수 있는 모빌의 모델 버전을 들고 있다.

뜻으로 15세기 같은 뜻의 프랑스어 '모빌'에서 차용되었어요. 그래서 '움직일 수 있는, 이동할 수 있는'이라는 같은 뜻의 말인데 영어로는 '모바일', 프랑스어로는 '모빌'이라고 불러요. 칼더가 창안한 모빌도 '움직일 수 있는, 이동 가능한' 미술이어서 같은 의미로 '모빌'이라고 부르는 거예요.

알렉산더 스털링 칼더는 미국 조각가라면서요?
이렇게 움직이는 조각작품을 프랑스식으로 왜 '모빌'이라고 불렀을까요?

칼더는 미국인이었지만 이렇게 세계 최초로 움직이면서 이동 가능한 조각을 처음 제작해 선보인 곳은 파리였어요. 칼더는 파리에서 과거에 아무도 상상하거나 엄두도 못낸 움직이는 조각 장르를 개척한 건데요. 칼더의 이런 움직이는 조각작품을 보고 '모빌'이라는 이

▲「수염 난 모나리자」, 「샘」 작품을 만든 마르셀 뒤샹은 칼더의 작품에 '모빌'이라는 명칭을 붙여주었어요.

름을 붙여준 인물이 바로 「수염 난 모나리자」와 남성용 소변기를 거꾸로 뒤집어놓고 「샘」이라는 제목을 붙였던 작가 마르셀 뒤샹이었어요. 이후 움직이는 이런 조각작품을 '모빌'이라는 정식 명칭으로 부르게 된 거예요.

오늘날 우리가 부르는 '모빌'이라는 명칭은 파리에서 마르셀 뒤샹이 만든 말이었군요. 그런데 칼더는 어떻게 이런 획기적인 '모빌'을 생각해낸 걸까요?

● ●

칼더는 원래 할아버지, 아버지 모두 유명한 조각가였고 어머니도 화가인 미술가 집안에서 태어났어요. 그런데 부모님의 희망대로 처음에는 기계공학을 전공한 공학도가 되었어요. 하지만 못 말리는 미술 유전자 때문인지 미술에 대한 열망을 못 버리고 다시 미술대학에 들어가 미술을 전공해 30세 무렵 전 세계 예술가들이 모인다는 파리로 가게 된 거예요. 거기서 몬드리안, 호안 미로, 마르셀 뒤샹 등 세계적 대가들과 교류하며 그들의 작품을 보고 영감을 받았어요. 파리에서 칼더는 어느 날 몬드리안의 작업실을 방문했는데 흰 벽면에 검정, 노랑, 빨강, 파랑의 네모 보드가 여기저기 놓인 것을 보고 "이 색색의 보드가 움직인다면 얼마나 재미있을까요?"라고 말했어요. 그때 절대주의 추상의 대가 몬드리안은 그저 빙그레 웃기만 했다는데요. 칼더는 곧바로 자신의 작업실로 돌아와 몬드리안의 작업실에서 얻은 영감을 바탕으로 움직이는 조각을 만드는 데 몰두했어요. 칼더는 처음에는 조각작품에 모터를 달아 움직이는 조각작품을 만들었고 결국 이렇게 새롭고 획기적인 움직이는 조각작품 '모빌'을 만들어 세계 최초로 발표한 거예요.

그랬군요. 열정과 창의력은 이런 건가 봐요.

그래서인지 그의 작품에서 보이는 단순한 삼원색과 흑백의 조화는 몬드리안의 절대주의적인 절제된 정신성을 담은 듯하고 바람에 끊임없이 날리는 자유로운 형태는 어느 형상에도 갇히지 않는 초현실주의의 대가 호안 미로의 환상적인 형상을 담은 듯해요. 실제로 칼더는 몬드리안, 호안 미로와 나이를 초월해 가깝게 지냈고 칼더에게 늘 이론적 조언을 해주고 예술에 대한 의견을 주고받은 인물로 그 유명한 마르셀 뒤샹이 있었다네요.

하지만 방금 언급한 세계적 대가들이 그렇게까지 칼더를 좋아하고 인간적인 친분을 맺어올 때는 다 그럴 만한 이유가 있었어요. 많은 사람들이 칼더를 '유쾌하고 친화력 좋고 따뜻하고 성실하고 열정적인 사람'이라고 공통적으로 말해요. 이 정도면 성격이 완전 호감형 아닌가요? 이런 사람이라면 누구나 좋아하겠죠. 게다가 칼더는 자신의 수득기인 공학노로서의 장기도 살렸어요. 일반적인 미술가들이 공학적 기술인 기계조립이나 철을 다루는 기술이나 모터장치를 다루는 데 서툰 경우가 많아 거의 엄두를 못 내거나 다른 사람의 도움을 받아야 했던 반면, 칼더는 그 모든 방면에 자신이 공학도였다는 기본적인 자신감 때문인지 처음부터 끝까지 자신의 머리에서 상상해 구체화된 모든 작업을 자신의 손으로 기계장치까지 거뜬히 해냈어요. 게다가 당당한 체구에 뛰어난 체력까지 장점으로 잘 활용했고요. 칼더 자신은 한때 기계공학을 전공하느라 몇 년을 허비했다고 생각한 적도 있었지만 이것을 미술에 접목해 이 세상 그 누구도 상상하지 못한, 바람에 움직이는 조각 '모빌'을 만들어 세계적인 '키네틱 아트'의 대표작가가 되었어요.

◄◄「**마리포사**」_1951년에 실행된 이 작품은 관람객 위에 무중력으로 보이는 모빌의 무한한 운동 가능성 감각을 전달하며 완전히 추상적이지만 그 형태와 움직임을 통해 우아한 날갯짓과 곤충의 날개를 구별하는, 눈에 띄는 아름다움 패턴을 회상시킨다.

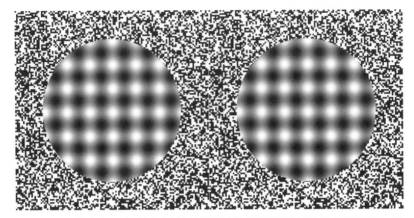

▲**키네틱 아트**_움직이는 예술. 어떤 수단이나 방법에 의해 움직임(動)을 나타내는 작품의 총칭이다. 칼더의 「모빌」처럼 바람이나 손으로 운동을 표현하는 것부터 가보, 마르셀 뒤샹에서 비롯되어 제2차 세계대전 이후 팅겔리가 시도한 모터장치까지 일체가 포함되며 물체의 운동뿐만 아니라 야감이나 소토 등에 대한 움직이는 영상이나 빛의 변화 등을 표현한 작품도 포함된다.

'키네틱 아트'라고요? 방금 모빌에 대해 소개해주셨는데요.
이 '키네틱 아트'는 또 뭔가요?

●))

키네틱(Kinetic)은 그리스어로 '움직임'이라는 '키네티코스(Kinetikos)'에서 온 말이에요. 그래서 모빌이나 키네틱 아트나 움직이는 예술작품이라는 의미에서는 같은 말로 봐도 돼요. 어쨌든 움직이는 미술작품을 모두 통틀어 그 범주인 키네틱 아트라고 불러요. 여러분이 미술관에 가시면 이렇게 움직이는 미술작품이 많을 거예요. 그럼 "아, 키네틱 아트구나!"라고 생각하시면 돼요. 그리고 더 중요한 것으로 이 키네틱 아트의 대표작가가 바로 알렉산더 스털링 칼더라는 사실도 기억해주세요. 이런 작가들의 다양하고 새로운 시도와 결실 덕분에 현대미술이 급진적으로 진화해온 거예요.

이렇게 난해한 현대미술이 칼더나 뒤샹 같은
작가들의 다양한 과정을 거쳤다고 생각하니 어느 정도 알 것 같네요.
그런데 이 「마리포사」같은 모빌 작품은 서양 미술사에서 어떤 의미가 있나요?

칼더 이전까지만 하더라도 미술에서 조각은 당연히 움직임 없이 가만히 세워두는 것으로 생각했어요. 하지만 이런 모빌 작품은 시간을 무한으로 거치면서 불규칙한 율동의 아름다움을 보여주잖아요. 무용수가 멈추지 않고 춤춘다고나 할까요? 그래서인지 칼더의 모빌을 본 많은 사람들은 규칙적이고 지루한 반복이 아닌 자유로운 리듬, 체계를 벗어난 아름다움이 우리를 가장 자유로운 상상의 세계로 인도하는 느낌 때문에 감동을 받아요. 심지어 어떤 사람은 칼더의 모빌을 '조각과 무용의 중간에 위치한 예술'이라고 표현했어요. 이런 칼더의 작품이 현대미술계를 장악하면서 현재까지도 작가들은 움직이는 키네틱 아트를 세계 곳곳에 설치해 관람객들을 사로잡고 있어요.

칼더 자신은 자신이 창안한 '모빌'에 대해
어떤 견해를 갖고 있었나요?

칼더 자신은 우리가 생각하는 움직이는 조각 '모빌'의 차원을 뛰어넘어 이 '모빌'이라는 작품을 '우주'라고 불렀어요. 언뜻 보면 "공학도였던 칼더가 자신의 기술력을 이용해 다른 작가들이 만들지 못하는 것을 만들었구나." 정도로 가볍게 해석할 수도 있겠지만요. 세계적인 작가 반열에 오르는 것은 쉬운 건 아니에요. 기본적인 기술력 다

▲「작은 구와 무거운 구」_알렉산더 스털링 칼더는 비평가들에 의해 '공간의 그림'으로 만들어진 와이어 조각의 발명과 실제 움직임이 끊임없이 변화하는 구성을 만드는 매달린 추상 요소의 운동 조각인 모빌로 유명하다. 실제 움직임보다 묵시적 움직임을 암시하는 칼더의 안정화는 주변 공간과 관람객의 경험을 유사하게 변형시킨다. 또한, 칼더는 볼트로 고정된 강철판으로 대규모로 야외 조각품을 만드는 데 전념했으며 그중 많은 작품이 전 세계 도시들의 공공광장에 설치되어 있다.

음에는 작가만의 미적 감각과 철학적 사유가 반드시 뒷받침되어야 하거든요. 칼더의 모빌이 조각의 기존 개념을 바꿔놓음으로써 혁명적 변화를 이룬 것도 물론이지만요. 바람에 의한 자연적인 움직임과 동시에 그것은 곧 시간이 만들어내는 움직임, 즉 자연과 인간이 함께 만들어내는 조화라는 의미를 담고 있어요. '자연과 인간', '광활한 우주와 나' 너무나 아름다운 조합 아닌가요? 이 세계는 한순간도 동일하게 존재한 적이 없었고 이 세계가 생긴 이래 오늘날까지 변화에 변화를 거듭해왔어요. 하늘에 떠가는 구름이나 간간이 불어오는 바람도 한순간도 규칙적이거나 동일하지 않아요. 칼더의 모빌은 그런 변칙적인 자연에 자신의 움직임을 맡기면서 그 변화의 리듬을 보여주는 율동이 우리 인생을 닮은 거예요. 그래서 칼더를 현대미술의 위대한 대가라고 부르는 거예요.

끝으로 이 작품 「마리포사」를 통해
우리가 새롭게 생각해볼 수 있는 것은 무엇일까요?

칼더의 모빌 작품은 '예측 불가능한 바람이 만들어내는 리듬과 율동에 의해 변화하는 아름다움'을 보여줘요. 불과 1초 후의 미래도 예측하지 못하는 게 인간이잖아요? 그러나 칼더의 모빌은 알 수 없는 미래의 상황을 긍정하고 있어요. 어떤 변화가 일어나고 어떤 거센 시련이 닥쳐도 그 나름대로 작품이 아름다운 의미가 되는 거예요. 우리 인생과 똑같죠.

게르니카

파블로 피카소(Pablo Picasso, 1881 ~ 1973)는 1936년~1937년 사이에 벌어졌던 스페인 내전 당시 인민전선을 지지했다. 이때 독재자 프랑코 총통은 나치의 폭격기를 동원해 바스크 지방의 소도시 게르니카를 폭격했다. 이들은 3시간 동안이나 폭탄을 퍼부어 약 2천여명의 시민이 사망하고 9백여명의 부상자가 발생했다. 이 소식을 듣고 분노한 피카소는 초인적인 예리한 시각과 독자적인 스타일로 「게르니카」 벽화를 한 달 만에 완성해 비극적인 전쟁의 잔학상을 고발했다.

피카소하면 입체파의 거장이라는 표현이 떠오르고 그의 대표작 「게르니카」는 미술 교과서에서도 봤던 작품이에요. 오늘은 잘 아는 작가, 잘 아는 작품이어서 그런지 더 기대되네요.

이 작품은 20세기 '현대미술의 제왕'인 스페인 작가 파블로 피카소의 대표작으로 미술 교과서에 나올 정도로 유명한데 1937년 유화로 그렸어요. 현재 스페인 마드리드 레이나 소피아 미술관에 소장되어 있어요. 저도 직접 가 봤는데 작품이 엄청 커요. 가로 약 7.8m, 세로 약 3.5m에 달하는 엄청난 크기의 대작이죠.

▲「게르니카」_1937년 4월 26일 스페인 내전 당시 나치가 게르니카를 폭격한 만행을 묘사한 반전 그림이다.

가로 길이가 7.8m, 거의 8m에 가깝네요.
피카소뿐만 아니라 다른 화가의 경우에서도
이렇게 큰 유화 작품은 찾아보기 힘들지 않나요?

1937년 피카소는 스페인 정부로부터 파리에서 개최되는 세계박람회 스페인관에 전시할 그림을 제작해달라는 부탁을 받았어요. 그래서 스페인의 작은 마을 '게르니카'에서 벌어진 참상을 담아 비통한 심정으로 이 작품을 제작하게 된 거예요.

게르니카에서 어떤 참상이 발생했나요?

1937년은 스페인 내전이 한창이던 때로 독재자 프랑코를 지지했던 나치군이 스페인 게르니카 일대에 무차별 폭격을 가해 무고한 양민 약 2천 명이 사망했어요.

군인이 아닌 민간인 2천 명 이상이 사망했다면 엄청난 비극이네요.
그런 끔찍한 학살과 관련된 작품이군요.
그런데 입체주의 그림이 좀 어려워서 그런가요?
저는 이 그림을 보고 게르니카 학살 이미지가 쉽게 떠오르지 않네요.

▲「게르니카」_스페인 마드리드 레이나 소피아 미술관 소장

사실 이 그림만 봐서는 게르니카 학살이 쉽게 떠오르지 않죠. 게르
니카를 나타내는 상징물이나 깃발도 없으니 말이에요. 그래서 처음
에는 많은 사람들이 이 그림에 대해 비판적이었다네요. 한마디로 게

르니카에서 발생한 사건의 정치적 중요성보다 개인적인 감정 표현에 너무 치우쳤다는 평가 일색이었죠. 사실 피카소는 이 그림을 통해 단순히 게르니카의 참상만 보여주려고 했던 것은 아니었거든요.

그럼 피카소는 이 그림을 그리면서 무슨 생각을 했을까요?

●○

피카소는 게르니카의 참상을 계기로 인간의 내면에 숨은 폭력적 야수성과 그로 인해 죽어가는 존재들의 절망과 고통, 공포를 일반화해 표현하려고 했어요. 그리고 인간의 이런 실존상에도 불구하고 그 안에 작은 희망의 씨앗을 담아 보여주려고 했어요. 그래서 이런 점이 「게르니카」가 지닌 우수성이라고 할 수 있어요.

그럼 작품에 대해 더 구체적으로 설명해주시죠.

●○

이 그림을 보면 왼쪽 상단에 황소가 있고 황소의 턱 밑에 죽은 아이를 안고 울부짖는 여인이 보이죠. 그리고 중앙 아래에는 저항하다가 쓰러진 청년을 짓밟는 군화와 부르짖는 군마가 있어요. 그리고 한 손에 칼을 들고 죽은 청년의 손에 쥔 작은 꽃과 여성의 손에 들린 촛불은 결코 놓아선 안 될 희망의 염원을 담은 듯하죠. 그리고 전체적으로 회색으로 채색된 색감이 학살의 잔혹함과 참상을 떠올리게 해요. 하지만 '소는 소이고 말은 말일 뿐'이라는 피카소의 말처럼 각 상징물에 대한 정답은 없어요. 여러분 각자 느낀 대로 해석을 담아보는 것도 좋을 것 같아요.

▲「게르니카」 부분 그림_황소와 말과 같은 게르니카의 강한 상징주의는 학자와 예술 전문가들이 다양한 해석을 내놓으면서 수많은 논쟁과 토론의 주제였다. 설명을 위해 자연스럽게 접근한 피카소는 "이 황소는 황소이고 이 말은 말이다."라고 간단히 말했다.

이 그림이 유명한 만큼 해석에 대한 이야기도 다양하겠네요.

「게르니카」 해석에 대한 여러 편의 논문이 발표될 정도로 다양한 해석이 있어요. 그러나 우리는 전쟁의 참혹함을 알리고 그로 인해 고통받는 사람들의 아픔을 고발하려던 피카소의 의도를 이해하면 좋을 것 같아요. 어쨌든 피카소는 예술을 통해 당시 사회에 지대한 영향을 미쳤어요.

▲「게르니카」 태피스트리_태피스트리는 1955년 전 미국 부통령이자 뉴욕 주지사였던 넬슨 록펠러가 의뢰했으며 1984년 UN에 대여를 제공했다. 사진은 「게르니카」 세라믹 벽화다.

예술을 통해 사회에 지대한 영향을 미쳤다는 말이 인상적이네요.
20세기 최고 작품이라는 이 「게르니카」가
21세기 우리 사회에도 어느 정도 영향을 미치고 있나요?

현재 뉴욕 UN 안보리 건물 벽면에 이 「게르니카」를 태피스트리로 재현한 그림이 걸려 있는데 록펠러가 평화의 상징으로 기증한 작품이에요. 재미있는 것은 미국이 9·11테러에 대한 복수로 이라크 침공을 결정하고 국방부 장관이 2003년 이곳에서 기자회견을 가졌는데 당시 UN에서는 배경으로 걸린 「게르니카」 그림을 커튼으로 가렸어요. 이 해프닝 때문에 세계는 참담한 고통을 불러오는 전쟁에 대한 자성의 목소리에 더 귀 기울이게 되었어요.

▲피카소는 자유와 민주주의가 스페인에 확립될 때까지 「게르니카」가 소장되는 것을 거부했다.

피카소의 「게르니카」에 대한 다양한 이야기를 들으며
몰랐던 것도 많이 알게 되고 재미있었어요.
끝으로 「게르니카」를 통해 우리가 새롭게 생각해볼 수 있는 것은 무엇일까요?

몇 년 전 저는 「게르니카」를 보기 위해 스페인에 다녀온 적이 있어요. 아침 일찍 소피아 미술관에 도착해 이 그림을 만난 순간 울컥하는 감정과 함께 눈물이 났던 기억이 있네요. 이 땅에 다시는 일어나면 안되는 전쟁의 참상이 천재화가 피카소의 열정을 통해 나타난 그 장면들이 생생히 가슴에 와 닿았어요. 이렇게 예술은 세상에 작은 울림들을 만들고 그 울림들이 결국 거대한 힘을 만들어 이 세계의 행복을 만들어간다는 생각이 들었어요. 결국 우리 생각보다 훨씬 많은 이 세계의 일을 예술이 담당하고 예술 특유의 부드러운 속성은 물과 같이 이 세계를 강하게 움직이고 있어요. 꼭 「게르니카」가 아니더라도 이런 속성은 모든 예술이 지닌 특징이에요.

그랑드 오달리스크

장 오귀스트 도미니크 앵그르(Jean-Auguste-Dominique Ingres, 1780 ~ 1867)는 역사화에서 니콜라 푸생과 자크 루이 다비드의 전통을 따랐지만 말년의 초상화는 위대한 유산으로 평가받고 있다. 앵그르는 신고전주의의 위대한 화가인 자크 루이 다비드의 화실에 들어가 그의 눈에 띄어 그의 작품 「사비니 여인들의 중재」 작업에 참여했으며 로마에 유학해 문제작 「그랑드 오달리스크」를 완성했다.

이 작품은 제법 눈에 익어 벌써부터 기대가 되는데요.
작품 설명 부탁드릴게요.

프랑스의 신고전주의 화가 도미니크 앵그르의 1814년 작 「그랑드 오달리스크」는 세로 1m 60cm, 가로 90cm의 캔버스에 유화로 그린 작품으로 현재 파리 루브르 미술관에 소장되어 있어요. 작품을 보면 터키풍 터번을 머리에 쓴 나체의 여인이 비스듬이 등을 보인 채 관능적으로 침대에 누워 있는데 한 손에는 공작 깃털 부채를 들고 관람객 쪽으로 아름다운 얼굴을 살짝 돌리고 있어요.

여인의 누드를 다룬 작품이군요. 그림 속 여인의 모습이 정말 아름답네요.
작품 제목이 「그랑드 오달리스크」라고 하셨는데 무슨 뜻인가요?

'오달리스크(Odalisque)'는 오스만 제국의 '궁정 하녀'를 뜻하는 '오달리크'
를 프랑스식으로 발음한 거예요.

프랑스 화가 앵그르는 왜 하필 오스만 제국의 궁정 하녀를 그렸을까요?

그 이유는 17세기 무렵 동방을 방문한 몇몇 서유럽인들의 기록이 계
기가 되었어요. 베네치아 특사로 오스만 제국을 방문했던 모 인사는
이런 기록을 남겼어요. "오스만 제국에 가 보니 금남의 장소 '하렘'이
있는데 최고권력자 술탄은 하렘에서 마음에 드는 여인에게 손수건
을 던져 잠자리 파트너를 결정한다." 이런 식이었어요. 그러니 이렇

게 선정적이고 자극적인 이야기를 전해 들은 유럽 남성들의 마음이 어땠을까요? 이런 이야기가 널리 퍼지면서 유럽에서는 동방 여인에 대한 그릇된 환상으로 뭇남성들의 가슴을 온통 설레게 만들어 궁정 하녀 '오달리스크'에 대한 망상이 생겼고 급기야 앵그르가 활동하던 18~19세기 프랑스의 수많은 예술가들이 서로 경쟁하듯 관능적인 모습의 오달리스크 그림을 생산했던 거예요.

> 그럼 앵그르를 비롯해 많은 유럽 예술가들이 오달리스크를 보기 위해
> 경쟁적으로 오스만 제국을 방문했겠네요?

꼭 그렇진 않았어요. 사실 그들은 하렘은 고사하고 터키 근처에도 못가본 경우가 대부분이었거든요.

> 그럼 그들은 자신들이 보지도 못한 오달리스크를 그린 셈이네요?

그런 셈이죠. 오달리스크에 대한 사람들의 성적 환상이 워낙 커 예술가들은 자신들이 실제로 보지도 못한 오달리스크를 시각화해 표현했어요. 한마디로 그런 오리엔탈리즘의 유행을 타고 문인들과 예술가들이 오달리스크라는 주제를 놓치지 않고 적극적인 마케팅을 했던 거예요. 그 결과, 성적으로 가장 매력있고 아름답다고 생각하는 여인을 모델로 그려낸 결과물들이 다량 쏟아져 나왔는데요. 그래서 앵그르뿐만 아니라 당대 다른 화가들, 그 후대의 마티스 같은 작가도 「오달리스크」라는 제목의 많은 작품을 남겼어요.

▲앙리 마티스의 「오달리스크」_19세기 앵그르와 들라크루아가 설립한 프랑스 미술의 동양주의 전통에 탁월한 모더니스트 상속인인 마티스가 1920년대 니스에서 그린 사랑스럽고 관능적인 수많은 누드 작품이다.

그럼 오달리스크 유행 마케팅은 결국 성공했군요.

●ı))

그런 셈이죠. 그러니까 지금 이 시간에 우리가 이 그림을 다루는 것
아니겠어요?

▲「그랑드 오달리스크」 세부 모습_그림 속 여성은 가슴은 겨드랑이에 붙어 있고 관람객 쪽을 향한 머리와 목도 부자연스럽기 그지없는데 이런 왜곡된 인체 표현이 해부학적으로 정확하지는 않지만 눈으로 보아 아름다운 것이 바로 회화의 아름다움이라는 것을 강조했다.

아까부터 이 그림을 보면서 좀 이상한 느낌을 받았는데요.
오달리스크의 허리가 보통 사람보다 좀 길고
팔도 너무 긴 것 같은데 제가 잘못 본 걸까요?

● ● ●

앵그르는 이 그림에서 조금 '기형적이다'라고 느낄 만큼 여체를 심하
게 과장하고 변형시켜 그렸어요.

사실 이 그림의 예술성과 미적 가치가 바로 거기에 있어요. 우리가 일반적으로 아름답다고 느끼는 인체 비율은 그리스 시대부터 전해져 내려오는 소위 정확한 '황금 비율'이죠. 인간이 가장 젊고 건강한 시절의 몸매 비율 같은 것 말이에요. 하지만 앵그르는 이 그림을 그리면서 전통적으로 내려오는 황금 비율을 적용하는 대신 자신이 창조한 기형적 비율을 과감히 적용했어요. 허리와 팔을 너 길게 늘임으로써 여체의 곡선과 부드러움을 더 강조했어요. 앵그르는 늘 그려왔던 식상한 인체 비율이 아닌 자신만의 새로운 인체를 창조함으로써 오달리스크의 관능미를 한층 더 강조하려고 했어요.

앵그르의 이 작품을 보고 당시 사람들은 어떤 반응을 보였나요?

오늘날에도 많은 사람들이 이 작품을 보면서 "인체가 이상하다", "틀렸다"라고 말하는데 수백 년 전 보수적인 생각을 가졌던 사람들은 어땠겠어요? 비난 정도가 상상을 초월했어요. 그중 어떤 사람들은 이 그림이 얼마나 잘못되었는지를 밝혀내겠다며 심지어 의사들까지 동원해 그림 속 여인의 척추뼈를 세어보는 소동까지 벌였어요. 그래서 앵그르는 결국 인체도 모르는 형편없는 화가라는 비난과 모욕을 당해야 했죠. 그런데 아이러니하게도 오늘날 앵그르의 이 작품이 세계 최고의 아름다운 누드화로 평가받고 루브르 미술관에서도 명작으로 손꼽히고 있어요.

▲「목욕하는 여인」_이 그림도 「그랑드 오달리스크」와 마찬가지로 가슴이 겨드랑이에 붙은 왜곡된 인체 구조를 보여주고 있다.

그런데 인체 비율을 변형시키는 과장된 표현 방식이
어떻게 이런 아름다움을 빚어낼 수 있을까요?

우리가 어떤 사건의 기억을 떠올릴 때 그 사건이 일어났던 당시 느
낌이 먼저 떠오를 거예요. 흔한 예를 들어보면, 태어나서 처음 경험

한 첫 키스를 생각해보세요. 그 순간 상대방의 감촉이나 향기, 그날의 감흥이나 느낌이 생각나지 않겠어요? 상대방과 내가 입었던 옷, 모습 등의 다른 시각적 이미지는 별로 기억나지 않을 거예요. 앵그르가 여인의 관능미를 이렇게 과장하고 왜곡한 것은 우리의 첫 키스 기억과 같은 맥락이라고 생각해요. 한마디로 앵그르는 아름다운 여성만 가진 곡선과 부드러움의 느낌만 더 강조하고 싶었던 거예요. 관능적이고 달콤한 그 느낌 말이에요.

미를 바라보는 자신만의 독특한 기법을 창안해낸 것이군요. 앵그르가 위대한 거장으로 평가받는 데는 역시 그만한 이유가 있었군요. 끝으로 우리가 이 작품을 통해 새롭게 생각해볼 수 있는 것은 무엇일까요?

앵그르가 아름다운 여인을 가장 관능적으로 그리기 위해 일반적인 인체 비율을 거부하고 자신만의 독특한 인체 비율을 적용한 이「오달리스크」작품을 보면 우리가 일반적인 미의 기준을 정해놓고 무조건 따르는 게 무의미하다는 생각이 들어요. 예를 들어 성형외과에서 말하는 아름다움의 비율이나 기준 말이에요.「그랑드 오달리스크」는 완전한 기형이지만 세상에서 가장 아름다운 누드화라는 극찬을 받고 있잖아요? 그러니 지금부터 다른 사람들이 정해놓은 획일적인 미의 기준에 여러분 자신을 맞추지 마세요. 이 모습 그대로 충분히 아름다운 여러분 자신을 스스로 인정해주는 게 좋을 것 같아요.

비온 뒤 유럽

독일 화가이자 조각가 막스 에른스트(Max Ernst, 1891~1976)는 1924년 이후 초현실주의에 적극 참여했다. 이때부터 피카소와 키리코의 작품에 관심을 보여 마케의 지도로 표현주의적인 그림을 그리기 시작했다. 1925년 무렵 나무와 돌의 표면에 종이를 대고 연필로 비비는 프로타주 기법을 사용해 황폐한 도시, 산호초(珊瑚礁) 같은 이상한 풍경을 다루었고 뉴욕 액션 페인팅의 탄생에도 영향을 미쳤다.

이 작품은 지금까지 소개해주신 작품들과 분위기가 사뭇 다른데요.
공상과학 영화에서나 볼 수 있는 풍경이라고 할까요?
한마디로 현실세계에서는 볼 수 없을 것 같은 전경인데
어떤 작품인지 대략적인 설명부터 부탁드려요.

이 그림은 독일의 초현실주의 작가 막스 에른스트(Max Ernst)가 1942년에 제작한 「비온 뒤 유럽」이라는 작품이에요. 초현실주의 작품답게 좀 특이한 느낌이죠. 가로 1m 46cm, 세로 54cm 크기의 유화로 제작된 작품인데요. 폐허가 된 유적지나 미국 브라이스 캐년을 연상시키는 거친 구조물들이 무질서하게 널려 있고 주황, 노랑, 녹색 등 다양한 색들이 하늘 배경과 대조를 이루며 한층 초현실적인 분위기를

▲「비온 뒤 유럽」_에른스트기 유럽을 떠나 미국에 전차했을 때 전쟁이 끝나 유럽을 비온 뒤의 유럽으로 묘사하고 있다.

자아내고 있어요. 자세히 보면 중앙에 두 남녀가 있는데 새 모양의 투구를 쓴 건장한 병사가 긴 창을 세워 들고 옆에 있는 녹색 빛의 여성을 바라보며 위협하는 듯한 장면이에요.

폐허더미만 있는 것으로 생각했는데 중앙에 보이는 게 사람이었군요.
그런데 두 명 주위에 보이는 구조물들이 정말 특이하네요.

이 작품은 유럽을 대재앙으로 몰고간 제1차 세계대전이 끝나고 또다시 제2차 세계대전이 한창일 때 뉴욕에서 에른스트가 제작한 작품인데요. 자신이 겪어야 했던 전쟁의 공포를 반영하는 것처럼 보이는 초현실적이고 종말론적인 풍경을 연출하고 있어요. 기품있는 문명을 유지해오던 유럽에 비이성적인 전쟁이 휩쓸고 지나가면 결국 악몽처럼 참혹한 폐허만 남는다는 것을 보여주는 일종의 암시라고할 수 있어요.

이 그림은 전쟁 내용을 다루고 있군요.
설명을 듣고 보니 그림 전체에 뭔가 조악한 물체들을 독특한 질감으로 표현한 것이
작가의 그런 의도를 잘 반영하고 있는 것 같아요.

그렇죠. 이 그림을 보시는 분들 모두 비슷한 느낌일 텐데요. 에른스
트가 전쟁으로 얼룩진 당시 유럽인들의 심적 상황을 더 극적으로 강

▲「비온 뒤 유럽」_워즈워스 아테나움 갤러리 소장

조하기 위해 자신이 창안한 특수기법을 사용했기 때문이죠. 학창 시절 미술 시간에 한 번쯤 들어보고 직접 구현해보았을 미술 기법인데 바로 프로타주(Frottage) 기법과 그라타주(Grattage) 기법이에요.

프로타주 기법이라면 동전 위에 얇은 종이를 올리고 색연필이나
크레파스로 문질러 모양을 그려내는 기법 아닌가요?
그런데 그라타주 기법은 뭐죠? 좀 생소한데요.

●◗▮▮

프로타주 기법에 대해 잘 알고 계시네요. 초등학교 미술 시간에 한
번쯤 해보셨을 거예요. 그리고 이름이 좀 어려워 그렇지 그라타주
기법도 한 번쯤 경험하셨을 거예요. 도화지에 색을 몇 겹으로 두껍
게 칠해 칼이나 뾰족한 것으로 긁어내면 즉흥적으로 멋진 작품이 연
출되는 경험을 해보셨잖아요. 그게 바로 그라타주 기법이에요. 그리
고 이 기법을 최초로 창안한 인물이 바로 초현실주의 작가 막스 에
른스트예요.

초등학교 미술 시간에 그렇게 재미있게 해보았던
'문지르기'와 '긁어내기' 기법을 최초로 창안한 인물이 에른스트였군요.
그런데 미국에 있던 에른스트가 전쟁으로 인한
유럽의 참상을 유독 민감하게 받아들인 이유는 무엇일까요?

●◗▮▮

바로 막스 에른스트 자신이 유럽인으로서 제2차 세계대전의 대표적
인 피해자였기 때문인데요. 이해를 돕기 위해 먼저 에른스트의 생애
이야기부터 말씀드려야겠군요. 에른스트는 독일 쾰른의 작은 마을
에서 태어나 유년 시절 교회 전통화를 그리던 아버지로부터 그림을
배웠어요. 대학에서는 철학을 전공했는데요. 대학 시절 학교 근처 정
신병원에서 심리치료 상담사로 활동하면서 환자들의 그림에 매료되
어 본격적으로 그림을 그리기 시작했어요. 에른스트는 자신의 화업
을 위해 프랑스로 이주해 그곳에서 자신만의 독특하고 새로운 화풍

▲**막스 에른스트**_1924년 이후 초현실주의에 적극 참여했다. 프로이트적인 잠재의식을 화면에 정착시키는 오토마티슴을 원용했지만 1925년 프로타주(Frottage)를 고안해 새로운 환상회화 영역을 개척했다.

을 구사함으로써 세계적인 명성을 얻고 사랑하는 여인을 만나 행복한 결혼생활도 할 수 있었어요. 하지만 얼마 지나지 않아 전쟁의 소용돌이에 휘말리면서 이 모든 행복도 끝나고 형언할 수 없는 기구한 운명의 주인공이 되고 말았어요.

전쟁의 소용돌이에 휘말린다는 것이 어떤 것인지 직접 겪어보지 않아 함부로 말하기는 어렵겠지만 요즘 보도되는 우크라이나 상황을 보면 전쟁의 한가운데 앉아 사람들의 처참하고 힘든 상황을 어느 정도 짐작할 수 있을 것 같아요.

전쟁 당시 프랑스에서 활동하던 에른스트는 국적이 독일이어서 프랑스에 머물 수 없었어요. 그래서 아내를 미국으로 먼저 탈출시키고 얼마 후 자신도 유럽을 탈출해 극적으로 미국에 도착할 수 있었어

▲「야만인」_에른스트의 삶은 제1차 세계대전과 제2차 세계대전의 한가운데 있었다. 전쟁의 포화와 이산의 아픔 속에서도 예술에 대한 그의 집념은 더 강해졌는데 그의 예술은 초현실주의의 새로운 그라타주 기법을 창안했다.

요. 미국에 도착하자마자 백방으로 수소문해 어렵게 아내를 만날 수 있었는데 그저 반갑고 기뻐할 상황이 아니었어요. 에른스트가 그토록 그리워했던 아내는 미국으로 탈출하는 과정에서 목숨을 부지하기 위해 어쩌다 다른 남자의 아내가 되었던 거예요. 그런 아내를 바라보는 에른스트의 마음이 어땠을까요?

그토록 그리워하던 아내를 만나기 위해 에른스트는 목숨을 걸고 백방으로 찾았을 텐데 에른스트의 마음이 정말 절망스럽고 고통스러웠겠군요.

하지만 그런 상황에서 어찌 아내만 탓할 수 있었겠어요? 상황이 절박한 전쟁 중이었는데요. 「비온 뒤 유럽」은 에른스트가 그 모든 사건을 경험하고 나서 그 허망하고 아픈 마음을 기반으로 제작한 작품이

▲「**노변의 천사**」_에른스트는 제1차 세계대전 중 서부전선에서 시간을 보냈고 제2차 세계대전 당시 프랑스에서 억류되어 난민 신분으로 미국으로 도피해 여전히 '환영받지 못하는 외국인'이던 자신을 묘사하고 있다.

에요. 그래서 작품에는 한바탕 환란이 휩쓸고 지나간 자리에서의 적막감과 공허감이 감돌죠. 작품을 들여다보면 우리가 살아가면서 한 번도 본 적 없는 생경한 장소, 현실에는 없는 슬픈 꿈속 같은 장면이 펼쳐져 있어요. 이런 초현실적인 광경을 구현하기 위해 에른스트는 방금 말씀 드린 프로타주 기법과 그라타주 기법을 사용해 이성이나 합리성에 의한 모든 통제에서 벗어난 인간정신의 해방이나 인간의 순수한 내면을 표현한 거예요. 그러면서 전쟁의 참상과 그로 인한 사람들의 이별과 불행 등을 동시에 이야기하고 있어요.

▲「광야의 나폴레옹」_에른스트가 유럽을 탈출한 후 새로운 안식처인 미국에서 완성한 작품이다. 그는 이 그림에서 서로 다른 결합된 판타지 세계를 보여준다. 역사적 시대와 문화, 해변의 이상한 인물그룹과 망명한 예술가의 상황과 그가 이미 표현한 「비온 뒤 유럽」과 연결하고 싶은 유혹이 있다. 그림의 매혹적인 색상을 만들기 위해 에른스트는 데칼코마니라는 특별한 미술기법을 처음 사용했다.

●ᵢₙ

슬프면서 쓸쓸한 느낌을 주는 작품이죠. 이 작품은 구상적 요소를 지녔지만 이 세상 어디에도 없을 초현실적인 상상의 세계가 그려져 있어요. 저는 이 작품을 보면서 이런 독특한 이미지를 통해 무의식의 세계를 표현한 순수 창작물로서 그림이 갖는 위력을 실감해요. 이것은 글이나 말로는 도저히 표현할 수 없는 느낌이고 이게 바로 이미지의 힘이라고 할 수 있어요.

「비온 뒤 유럽」을 통해 에른스트가 창안한 프로타주 기법과
그라타주 기법에 대해서도 알아보는 시간을 가졌어요.
끝으로 우리가 이 작품을 통해 새롭게 생각할 수 있는 것은 무엇일까요?

●ᵢₙ

이 그림을 보고 있으면 "인간은 나약한 존재이지만 피할 수 없는 불행에 기꺼이 맞서 극복하는 힘을 누구나 갖고 있다"라는 생각이 들어요. 내 인생에서 마주치는 크고 작은 아픔과 상처들은 반드시 내가 주체적으로 극복해야지 누가 대신 내 인생을 살아주겠어요? 또한, 그래야만 내가 내 인생을 주체적으로 사는 것이겠죠. 바로 거기에 인간의 위대함이 있다고 생각해요.

친절한 미술관

질투

에드바르 뭉크(Edvard Munch, 1863~1944)는 노르웨이의 국민화가로 표현주의 미술을 지향
했다. 처음에는 신인상파의 영향을 받아 점묘기법을 사용해 삶과 죽음의 극적이고 내면
적인 그림을 그렸다. 그는 고흐와 고갱의 작품을 접하고 감흥을 받은 후 삶과 죽음, 사랑
과 관능, 공포와 우수를 자신만의 색상과 감성으로 풀어냈다. 그의 대표작 「절규」는 초현
실주의 미술의 혁신정신을 가장 잘 보여준다.

이 작품은 뭔가 풍부한 이야기가 담긴 것 같고 상당히 재미있겠네요.
어떤 작품인지 소개해주시죠.

이 그림은 그냥 보기만 해도 재미있는데 이 작품의 사연을 알고 보
면 더 재미있는 작품이에요. 노르웨이 화가 에드바르 뭉크(Edvard
Munch)의 1895년 작 「질투」를 소개해드릴게요.

그림 오른쪽 남성이 몹시 못마땅해하는 표정이고 그림 뒷부분에
남녀 한 쌍이 있는 것 같은데 먼저 이미지 설명부터 간단히 해주시죠.

이 작품 「질투」는 뭉크 자신이 32세 되던 1895년 캔버스에 유화로 제
작한 것으로 가로 1m, 세로 67cm의 작품이에요. 화면 오른쪽 앞에

▲「질투」_뒷배경의 선홍빛 드레스를 입은 관능적인 여인과 그녀에게 열정의 꽃을 바치며 사랑을 속삭이는 남성이 선악과 나무 아래 있다. 질투에 사로잡힌 앞쪽 남성의 표정이 압권이다.

아나운서께서 말씀하신 대로 뭔가 못마땅한 표정의 남성 얼굴이 우리 관람객 쪽을 향하고 있는데요. 그의 눈빛을 자세히 보면 관람객과 마주치지 않고 시선을 피하고 있어요. 그리고 이 남성과 대조적으로 화면 왼쪽 뒤편에 한 쌍의 남녀가 마주 보고 있죠. 여성은 붉은 드레스를 걸쳤는데도 민망하게 알몸을 상대방 남성 앞에 다 드러내고 있고 남성은 그녀에게 꽃다발을 주고 있어요. 이들의 뒷배경으로 사과나무에 붉은 사과가 열려 있고 여성은 오른손을 뻗어 사과를 따는 듯 보이고 왼손은 뒤로 감추고 있어요. 그리고 남녀는 얼굴이 붉게 달아올랐고 옷 밖으로 노출된 여성의 몸도 발그스레 달아오른 듯 붉은 색조로 그렸어요.

▲**질투**_뭉크는 여러 편의 「질투」 연작을 남겼는데 석판화로 제작된 이 그림은 「질투」에 대한 표정과 리얼리티가 잘 드러나 있다.

작품을 딱 봐도 제목이 왜 「질투」인지 알겠네요.
그림에서 질투하는 남성이 혹시 뭉크 자신 아닌가요?

●⍤

뭉크 자신의 자전적 이야기를 담은 작품인데 작가 뭉크가 이 그림에서 워낙 적나라하게 감정표현을 했기 때문인지 누가 보더라도 뭉크가 느꼈을 '질투'라는 감정에 공감할 수 있을 것 같아요. 물론 우리가 질투를 느끼는 다양한 상황이 있겠죠. 직장에서 누군가 나보다 실력이 월등하다거나 어디를 가도 그 친구만 늘 인기가 많다거나… 우리 인간이 가진 근원적인 감정 중에서 이 질투는 정말 못 말리는 감정이죠. 그래서 어떤 사람들은 이 질투를 상당히 나쁜 감정으로 생각해 부정적으로 생각해요. 하지만 이 질투가 꼭 나쁜 감정일까요? 지금까지의 역사적 관점에서 봐도 이 질투가 여러 비극이나 불행의 원인이 된 적이 많았어요. 그래서 우리는 이 질투를 과하면 안되는 금기사항이나 죄악으로 생각하기도 해요. 하지만 질투가 전혀 없는 사람이 어디 있겠어요? 인간이라면 누구나 질투라는 감정이 있을 거예요. 정도차는 있겠지만요.

하지만 누군가에게 질투가 난다고 그를 괴롭히거나 함정에 빠뜨리면 안 되잖아요?

저도 그건 옳지 않다고 생각해요. 아니, 그런 행동은 너무 비겁하고 못난 짓이라고 생각해요. 하지만 질투라는 감정 자체는 인간이라면 당연히 느끼는 본능이에요. 진화생물학적 관점에서 볼 때 질투는 유전자의 생존을 도와주는 매커니즘으로 작용한다네요. 그래서 이 본능적인 유전자인 질투 덕분에 우리 인류는 이 땅에 살아남을 수 있었던 거예요. 질투는 우리가 생존하는 데 꼭 필요한 감정이에요. 하지만 질투에 휩싸여 불행을 자초하면 안 되겠죠. 어떤 일이든 지나치지 않도록 균형감각을 유지하는 게 중요하지 않겠어요? 그리고 질투는 예술가의 영감을 불러일으키는 데 굉장히 좋은 원동력이 돼요. 지금까지의 예술사를 볼 때 이 질투는 예술가들에게 새롭고 다채로운 작품을 탄생시킨 힘이 되었어요. 대표적인 예가 지금 보시는 뭉크의 「질투」예요.

이 '질투'라는 감정은 생각보다 좋은 역할도 많이 하네요.

세상 뭐든지 좋은 쪽으로 쓰이면 좋은 것이지만 아무리 좋은 의미로 생긴 것도 나쁜 쪽으로 쓰면 나쁜 것이겠죠. 오늘 제가 소개해드리는 뭉크의 「질투」를 보면서 질투하는 사람의 감정을 이렇게 적나라하게 표현한 뭉크의 천재성에 놀라게 돼요. 오른쪽 하단에 그려넣은 질투하는 자신의 표정을 보면 질투에 휩싸인 남성의 특징이 뚜렷이 드러나요. 특히 남성의 눈은 관람객과 마주치지 않아요. 질투는 누군가에게 들키고 싶지 않은 감정이어서 그럴까요? 얼굴 표정이 전반적으로 부정적이죠. 또한, 왼쪽 상단에 얼굴과 몸이 벌겋게 달아오른 두 남녀는 서로에 대한 에로틱한 감정을 보여주는 동시에 빨간 드레스를 걸친 여성이 오른팔을 뻗어 사과나무에서 사과를 따는 것은 성경에 등장하는 아담과 하와가 하느님의 계율을 어기고 원죄를 짓는 광경을 연상시켜요. 뭉크는 이 그림 속 여인을 사랑했기 때문에 이들의 사랑을 인정할 수 없고 인정하기도 싫지만 그림 뒤편에 등장하는 남녀가 사랑하는 연인이라는 것은 결코 부정할 수 없는 사실이었기 때문에 뭉크가 할 수 있는 거라곤 질투하고 스스로 삭이는 게 전부였을 거예요. 이렇게 어쩔 수 없이 받아들여야 하는 감정에 대해 뭉크는 이 「질투」라는 작품으로 승화시켜 우리에게도 공감과 위로라는 선물을 남겼어요.

▲「질투」부분 모습_뭉크는 그림 속 관능적인 여인을 한때 진심으로 사랑했다. 그러나 그녀는 뭉크의 절친과 결혼했다. 그것도 유부남과 결혼하자 뭉크는 질투에 사로잡혀 그들이 결혼한 지 2년 후 이 작품을 공개했다. 그림 속 여인은 선악과를 따먹은 이브에 비유되고 있다.

▲「마돈나」_서양 미술사의 영원한 소재인 마리아를 표현했다. 마리아는 순종과 믿음으로 하느님의 부르심에 응답한 순결과 성스러움의 상징이었다. 그러나 뭉크는 성과 사랑에 사로잡힌 '죽음의 여신'으로 마돈나를 그리고 있다. 황홀한 듯 눈을 감은 여성은 기승위 체위를 보이고 있다. 사랑과 출산의 고통을 숙명적으로 겪어야 하는 여성의 심리를 보여주며 테두리의 붉은 관으로 남성의 정자가 헤엄친다. 더 문제인 것은 어린 아이의 모습으로 마돈나의 아이는 누구란 말인가?

이 작품 「질투」는 뭉크의 자전적 이야기를
담은 그림이라고 하셨으니까
이렇게까지 뭉크를 괴롭히고 사랑의 고통을 느끼게 했던
이 작품 속 모델은 실존 인물이었겠죠?

실존 인물이었어요. 이 여인은 뭉크의 어린 시절 고향친구였던 다그니 유을(Dagny Juel)로 뭉크가 베를린에서 활동할 때 때마침 음악공부를 위해 베를린으로 유학온 여자친구였어요. 다그니는 지성적이고 성격도 쾌활하고 성품도 따뜻했다네요. 거기에 용모도 아름다워 뭉크의 좋은 모델이 되어주었어요. 특히 뭉크의 대표작 「마돈나」의 아름다운 모델도 바로 다그니예요.

그런 여인이었으니 당연히 질투할 만도 하네요.

뭉크는 베를린에서 다그니를 만나 그녀에게 푹 빠졌는데요. 이 다그니를 자신이 함께 하던 지성적 예술가 모임인 '검은 돼지'에 소개했는데 아름다운 그녀를 보고 그 모임에 있던 다른 남성 두 명이 동시에 그녀를 좋아하게 되었어요. 뭉크까지 세 명이네요. 다그니는 자신에게 구애하는 세 명의 남성 중 폴란드 출신의 상징주의 극작가 프시비지예프스키와 사랑에 빠졌고 이에 충격받은 뭉크는 자신이 소개해준 친구와 다그니의 사랑을 원망하고 질투하게 된 거예요. 이래서 정말 소중한 애인은 친구들에게 함부로 보여주면 안 되나 봐요.

▲「**질투**」_ 앞의 두 작품과 연작인 이 그림은 배경이 실내여서 더 불륜적이다. 문밖으로 나가는 연인들이 포옹한 모습과 앞쪽의 창백한 남성의 모습이 당장 무슨 일이라도 벌어질 것 같은 분위기를 연출하고 있다.

이 작품에 대한 이야기를 듣고 보니 제가 막 화가 나려고 하네요.
내가 소개해준 친구와 다그니가 어떻게 애인이 될 수 있나요? 완전 배신 아닌가요?

당연히 배신감을 느꼈으니 이런 감정을 표현했겠죠. 다섯 살 때 엄마가 병으로 일찍 돌아가시고 자신을 엄마처럼 돌봐주던 한 살 많은 누나마저 13세 때 병으로 떠나보낸 뭉크는 유독 외로움을 많이 타고 여성들에게서 위안을 받곤 했는데 이 다그니에게서만큼은 모성적 사랑을 깊이 느꼈다네요. 그러던 그녀가 뭉크의 친구와 결혼하자 뭉크가 느낀 절망감과 배신감은 이루 말할 수 없었을 거예요. 그런 감정은 이 모든 것을 빼앗아간 친구 프시비지예프스키에 대한 질투로 나타났던 거예요. 뭉크의 그런 감정이 극대화되어 표현된 것이 바로 이 작품이에요. 뭉크는 사랑의 이런 아픔과 상처를 예술로 승화시키면서 그녀의 행복을 빌어주었지만 다그니와 프시비지예프스키 커플의 사랑은 오래가지 못하고 불행한 최후를 맞이해야 했어요.

사랑 가슴에 그렇게 대못을 박고 갔으면
잘 살아야지 불행했다니 그건 또 무슨 얘기인가요?

사실 다그니가 매우 안 좋은 선택을 한 거예요. 폴란드 출신 극작가였던 프시비지예프스키는 원래 아내와 아이가 두 명 있던 유부남이었어요. 전 부인과 이혼하고 다그니와 재혼한 거였어요. 다그니도 그걸 알면서 결혼했고요. 그런데 다그니의 남편 프시비지예프스키가 새로운 여성과 사랑에 빠지면서 다그니를 버린 거예요. 이때 다그니는 이 남편의 아이가 두 명 있었고요.

자신이 한 대로 똑같이 받네요. 어떻게 이럴 수가…

그런데 다그니의 불행은 더 커졌어요. 남편과 헤어진 다그니는 자신의 34세 생일을 앞둔 어느 날 자신의 아이 두 명과 여행을 갔어요. 그리고 여행 중 묵은 호텔에서 자신의 젊은 애인이 쏜 총에 맞아 허망하게 죽었다네요. 다그니를 친구에게 빼앗기고 그녀의 불행한 소식을 들었을 때 뭉크의 심정이 어땠을까요?

겪어보지 않아 잘 모르겠지만 가슴 아프지 않았을까요? 그래도 사랑했으니까요.

사실 그건 저도 잘 모르겠네요. 이런 말 있잖아요. "첫사랑이 잘 살고 있으면 배가 아프고 못살고 있으면 가슴이 아프다. 그런데 지금 함께 살고 있으면 머리가 아프다." 뭉크는 자신을 버리고 자신의 가장 절친이던 친구와 결혼한 다그니가 불행한 삶을 살다가 어이없는 죽음을 맞은 사건들을 차례로 접할 때마다 느꼈을 극단적인 아픔들을 매번 작품으로 남겼고 그 작품 중 하나가 바로 이 「질투」예요. 그래서 뭉크의 작품들은 이루 말할 수 없는 자신의 아픔과 상처를 지닌 채 그것을 승화시킨 분명한 흔적이 있어요. 그래서 우리는 이런 작품을 보면서 상처, 아픔, 사랑, 위로 등 다양하고 복잡한 감정들을 공유하면서 이 작품에서 치유받을 수 있는 것이고 그것이 바로 예술의 기능이죠.

끝으로 이 작품 「질투」를 통해 우리가 새롭게 생각해볼 수 있는 것은 무엇일까요?

뭉크가 이 「질투」에서 표현했듯이 아픔, 고통, 배신감, 고독, 슬픔, 수치심 등은 모두 사랑에서 오는 감정이에요. 그렇다고 사랑하지 않으면 되는 걸까요? 그 해답은 청취자 여러분이 각자 생각할 몫이겠죠. 하지만 누군가가 제게 묻는다면 "아파도 사랑하자"라고 대답할 거예요. 아무리 아프고 힘들어도 멈추지 않고 사랑하는 게 진짜 인생이니까요.

▲「절규」_뭉크의 대표작이자 걸작인 「절규」에서 뭉크는 '생의 공포'라고 부르던 것을 표현했다. 온통 핏빛으로 물든 하늘과 이와 대조를 이루는 검푸른 해안선, 동요하는 감정을 따라 굽이치는 곡선과 날카로운 직선의 병치, 극도의 불안감으로 온몸을 떠는 한 남성의 절규는 인간의 존재론적 불안과 고통에 대한 울부짖음으로 뭉크는 이것을 입 밖으로 표출시켰다.

친절한 미술관

사비니 여인들의 중재

자크 루이 다비드(Jacques-Louis David, 1748～1825)는 프랑스 혁명을 통해 명성을 얻었다기
보다 오히려 혁명에 자신의 명성을 더해주었다. 그는 프랑스 화단을 군림했고 나폴레옹
에게 중용되어 예술적 · 정치적으로 미술계 최대권력자로 화단에 큰 영향을 미쳤고 고대
조각과 같은 형태미를 만들어 후대 화가들에게 엄청난 영향을 미쳤다. 들라크루아는 그
를 '근대 회화의 아버지'라고 불렀다.

자크 루이 다비드라면 지난번 「소크라테스의 죽음」이라는
작품에서 소개한 화가 아닌가요?
이번에는 지난번과 다른 「사비니 여인들의 중재」라는 작품이라고 하셨는데요.
이 그림도 역사를 다룬 영화의 한 장면처럼 매우 극적인 느낌이 드네요.

자크 루이 다비드의 작품들이 지닌 전형적인 특징을 매우 정확히 보
셨어요. 신고전주의 화풍의 선구자인 다비드의 작품은 매우 극적인
느낌이 특징이죠. 이 작품은 자크 루이 다비드가 1799년 캔버스에
유화로 그린 것으로 가로 5m, 세로 3.8m나 되는 매우 큰 작품이에
요. 파리 루브르 박물관에 가시면 보실 수 있어요.

▲「**사비니 여인들의 중재**」_파리 루브르 박물관에 소장되어 있다.

전쟁과 여인, 왠지 어울리지 않는 조합인데 어떤 그림인지 소개해주시죠.

이 작품은 로마에 전해져 내려오는 역사적 사건인 '사비니 여인' 이야
기를 그림으로 표현한 것으로 간략히 소개하면 로마 건국 초기 로마
에 여성이 부족해서 로마 건국의 시조로 알려진 로물루스가 로마인
들의 아이를 낳아줄 여성들을 구하기 위해 이웃 나라인 사비니의 여
인들을 로마로 납치해왔어요. 당연히 사비니에서는 난리가 났겠죠.
사비니의 남성들은 자신들의 여인을 되찾기 위해 로마로 쳐들어와
전쟁이 일어났고 다비드는 이 사건을 작품으로 구현한 거예요.

▶사비니군 지휘관 타티우스

그런데 여자가 없다고 이웃 나라 여자들을 강제로 납치해온다는 게
지금 상식으로 도저히 이해가 안 되네요. 여성이 무슨 물건도 아니고…

지금 상식으로야 당연히 이해가 안 되는 일이지만 백성 수가 국력의
척도였던 고대국가에서 인구생산력 부족은 심각한 문제였어요. 기록
에 의하면 로마는 이 문제를 해결하기 위해 기원전 753년 3월 1일 축제
를 가장해 이웃 나라 사비니인들을 초대했다네요. '바다의 신' 넵투누
스를 기리는 성대한 축제였는데 축제를 즐기면서 사람들이 포도주에
취한 틈을 타 사비니 여성들을 강제로 납치해갔어요.

▶로마의 왕 로물루스

로마의 계략에 빠져 여인들을
빼앗긴 사비니 남성들의 분노가 하늘을 찔렀겠네요.

자신들의 아내와 딸들을 빼앗긴 사비니 남성들의 심정이 충분히 짐작갈 거예요. 얼마나 황당하고 분했겠어요? 한편, 사비니에서는 이 사건 3년 후에야 전쟁준비를 마칠 수 있었고 비로소 로마로 쳐들어갔어요. 이 그림 맨 앞에 방패를 들고 대치한 두 남성이 양국을 대표하는 인물인데 오른쪽은 로마의 왕 로물루스이고 왼쪽은 사비니군 지휘관 타티우스예요.

그런데 둘 사이에 있는 여인은 누구인가요?
전쟁 중에 위험을 무릅쓰고 사이에 낀 모습이 정말 특이하네요.

이 여인은 지금 둘 사이에서 양팔을 벌려 싸움을 중재 중인데 사비니군 지휘관 타티우스의 딸이자 이미 로마의 왕이던 로물루스의 아내가 된 헤르실리아예요. 이 여인들이 로마인들에게 납치된 지 3년이 지났다는 것을 생각해보세요. 납치는 맞지만 어쨌든 그동안 로마인 남성의 아이를 낳고 살아왔으니 사비니 여인들에게는 사비니 남성들 못지않게 로마 남성들도 중요했어요.

이야기를 듣고 보니 인간 본성의 극단적인 면모가 느껴지는데요.
사비니 여인들은 정말 난처한 입장이었겠네요.

헤르실리아는 로마인들에게 납치되어 그들의 아이를 낳아 양육하며 사는 사비니 여인들을 대표하는 인물이었던 셈이죠. 어느 날 갑자기 낯선 남성들에게 납치당해 원하지도 않는 남성의 아이를 낳고 살게 된 사비니 여인들은 나름 고통이 있었겠죠. 하지만 아이가 생기자 그들도 서서히 현실에 적응하며 나름대로 행복한 가정을 꾸렸던 거예요. 그런데 어느 날 또 갑자기 자신의 아버지와 남자형제들, 이전 애인이 들이닥쳐 자신과 아이를 부양하는 현재의 남편을 죽이려는 상황이 벌어진 거예요. 사비니 여인들 입장에서는 양쪽 모두 소중한 사람들이잖아요? 어떻게 어느 한쪽을 선택할 수 있겠어요?

◀◀ 양 진영의 전쟁을 말리는 헤르실리아

그럼 당시 사비니 여인들의 중재는 효과가 있었나요?

○●Ⅲ

로물루스 왕의 아내가 된 헤르실리아를 비롯한 사비니 여인들이 나서서 서로 싸우지 말 것을 눈물로 호소한 끝에 이들은 전쟁을 끝낼수 있었어요. 그리고 평화를 정착시켜 이후 로마가 번성할 수 있었다네요. 자크 루이 다비드는 로마 건국 시기의 이런 서사를 영화의한 장면처럼 멋지게 그려냈는데요. 사실 재미있게도 다비드가 이 그림을 그린 의도의 저변에는 자신의 개인적인 사정과 깊이 관련되어있었어요.

사비니 여인들의 중재 사건과 다비드의 개인적인 사정이 어떤 관계이길래 그런 건가요?

○●Ⅲ

다비드는 매우 권력지향적인 인물이었어요. 루이 16세의 궁정화가였던 그는 1789년 프랑스 대혁명 당시 루이 16세가 단두대의 이슬로사라지는 것을 목격하고 재빨리 혁명파에 동조했어요. 그리고 혁명주도자였던 로베스 피에르가 보수파의 반격을 받고 처형당하면서1795년 공범으로 체포되어 감옥에 갇히는 신세가 되었어요. 가까스로 감옥에서 풀려난 다비드는 1799년 나폴레옹이 등장하자 이번에는 자신이 과거 프랑스 대혁명에 동조했던 것을 스스로 철회하고 자신의 정치적 노선 변경을 정적들에게 알리고 화해를 청하기 위해 이그림을 그렸던 거예요. 여기서 다비드는 사비니 여인들을 평화의 상징으로 내세워 나폴레옹이라는 새로운 황제를 맞이한 시기에 갈등을 봉합하고 앞으로 나아가자는 메시지를 전달하기 위해 이 그림을

▲「자크 루이 다비드의 자화상」_다비드의 뛰어난 기교와 신고전주의 양식의 특징인 단순함과 명료
함은 서양 미술사에서 고전주의를 완성했다는 평을 받지만 내용에서는 다분히 정치적이었고 사실
이 많이 왜곡되어 있었다.

그랬던 거예요.

「사비니 여인들의 중재」라는 작품을 통해 로마 건국 당시의 사건 이야기와
프랑스 혁명 관련 이야기까지 들어보았습니다.
끝으로 이 작품 「사비니 여인들의 중재」를 통해
우리가 새롭게 생각해볼 수 있는 것은 무엇일까요?

로마인들에 대한 사비니인들의 분노는 지극히 당연하고 정당하지만 그들은 분노 대신 이해와 용서를 선택했어요. 그것이 현실적으로 가장 피해를 줄이는 방안이었기 때문이죠. 우리는 세상을 살아가면서 가끔 뜻하지 않게 억울하고 화나는 경우를 겪을 때가 있어요. 그런 순간 이 사비니인들의 현명한 선택을 생각하면서 좀 더 여유로운 마음을 갖는 것도 좋은 방법이라고 생각해요.

폴리 베르제르 술집

에두아르 마네(Edouard Manet, 1832 ~ 1883)는 「풀밭 위의 점심」과 연이어 「올랭피아」 작품으로 프랑스 문화계를 충격에 빠뜨렸다. 이 사건 이후 그의 작품에 감명받은, 아카데미의 선택을 받지 못한 젊은 화가들이 마네에게 모여들었다. 클로드 모네, 오귀스트 르느와르, 에드가 드가 등은 마네의 집 근처 카페 '게르부아'에 모여 그림 이야기를 나누었는데 이 모임은 인상주의 회화의 잉태라는 의미가 있었다.

그림에 술병이 많이 보이는 걸 보니 술집 같은데요.
종업원인가요? 술집 바의 젊은 여성을 그려놓은 그림 같아요.
우선 작품에 대한 전반적인 설명부터 해주시죠.

● ●

이 작품은 '인상주의의 아버지'로 불리는 에두아르 마네(Edouard Manet)의 문제작으로 현재 런던 코톨드 갤러리에 소장되어 있어요. 술집 전경을 그려놓은 그림으로 당시 파리에서 유명했던 술집 '폴리 베르제르'의 현장 모습이에요. 작품 속 주인공인 젊은 여인은 종업원인데요. 작품의 포인트는 그녀 뒤의 거울에 비친 시끌벅적한 풍경과 대비되는 그녀의 모습이에요.

▲「폴리 베르제르 술집」_이 작품은 많은 논란의 대상이었고 최근까지도 미술학도들로부터 구도적 문제를 제기받고 있다.

배경에 있는 거울에 많은 전경이 보이는군요.
많은 사람들이 모여 뭔가를 관람하는 것 같은데요.
사람들이 서로 이야기 나누며 즐거워하는 것 같아요.
그런데 종업원이 왠지 우울해 보이네요.

자세히 보면 공중에 떠 있는 곡예사의 발이 보일 거예요. 지금 매우 화려한 서커스 쇼가 벌어지고 있는데요. 그림에 그려 넣을 수는 없었겠지만 가끔씩 터져나오는 환호와 사람들이 나누는 시끌벅적한 이야기 소음이 가득했겠죠. 그런데 이 모습을 바라보며 바를 지키고 서 있는 여주인공의 표정이 우울하기만 하죠. 마네는 이 큰 술집의 화려함을 배경으로 우울한 이 여종업원을 왜 주인공으로 그렸을까요? 마네가 우리에게 보여주려고 한 것은 사람들로 북적이는 화려하고 시끄러운 술집 모습이 아니라 이 광경을 우울하게 바라보는 이 여인이에요. 그런데 이 여인은 왜 우울할까요? 그리고 마네는 왜 이 여인의 우울함에 주목했을까요? 이 여인의 우울함은 유희를 즐기러 이곳을 찾아온 많은 관객들과 달리 일터로서의 직장에서 느끼는 피로감이나 스트레스에서 비롯된 것일 수도 있겠죠. 아니면 이 여인만 가진 개인적인 상처와 아픔을 마네가 알았을 수도 있고요. 아나운서님은 어느 쪽일 거라고 생각하세요?

마네가 이렇게 특별하게 그림 모델로 삼았다면 후자일 가능성이 높지 않을까요? 만약 그렇다면 이 그림의 모델인 여종업원과 마네는 인간적으로도 서로 잘 아는 사이였을 수도 있겠네요.

● ▮▮

이 여인은 마네가 인간적으로 매우 잘 아는 사람으로 이름은 '수잔 발라동'이었어요. 수잔은 사생아로 태어나 어릴 때부터 서커스단에 들어가 곡예를 했어요. 그런데 15세 되던 해 곡예 도중 말에서 떨어져 다리를 다치는 바람에 곡예를 그만두고 이것저것 닥치는 대로 일하며 생계를 이어가야 했어요. 그림 속 수잔의 모습은 그런 고달픈 생활의 연속으로 술집에 취직해 종업원으로 일하던 17세 때 모습이에요. 지금 그녀의 눈앞에서는 공중에 뜬 곡예사의 곡예가 펼쳐지고 있지만 사람들은 별로 열중해서 바라보지 않고 있어요. 자신이 곡예사였고 곡예 도중 부상을 입었던 그녀에게 그 광경이 어떻게 느껴졌을까요?

▲앙리 드 툴루즈 로트렉이 그린 「수잔 빌라동」과 오귀스트 르느와르가 그린 「머리를 다듬는 여인」. 이처럼 수잔은 많은 인상주의 화가들의 뮤즈였고 훗날 그녀도 예술가로 활동했다.

듣고 보니 수잔의 마음을 이해할 것 같네요.
그리고 그런 수잔을 안쓰럽게 바라보는 마네의 따뜻한 시선이 그림 속에서 느껴져요.

마네는 수잔의 이런 아픈 내면을 안쓰럽게 바라보며 우울해하는 그녀의 모습과 그녀가 바라보는 왁자지껄한 술집 모습을 그녀의 뒷배경에 있는 거울을 통해 대조적으로 보여주고 있어요. 그리고 자세히 살펴보면 거울에 비친 그녀의 뒷모습 옆에 그녀를 바라보는 한 남성이 있는데 바로 마네 자신의 모습이에요.

에두아르 마네는 어떤 화가였나요?

에두아르 마네는 1832년 프랑스의 부유한 집안에서 태어나 부족함 없이 성장했어요. 그가 화가가 되는 데는 어릴 때부터 미술에 남다른 재능을 보이며 화가의 꿈을 키워가던 그를 미술관에 자주 데려가

▲「풀밭 위의 점심」_1863년 살롱에 출품해 낙선한 작품으로 같은 해 '낙선전'에 출품되어 비난과 조소의 표적이 되었다. 나체의 여인에 옷을 입은 남성을 배치한다는 구상은 고전주의 조르조네의 「전원의 합주」에서 모티브를 얻었다. 살롱전에 출품할 당시 마네의 어머니도 외설적이라고 평가했고 나폴레옹 3세도 저속하다고 비난했지만 개성적이기보다 국가의 화풍에 맞춰야 했던 당시의 보수적 분위기에 도전한 의도적인 작품이다.

가주고 미술작품에 대해 많은 이야기를 나눠준 삼촌의 영향이 컸다네요. 이후 마네는 한평생 전문화가로 활동하며 자신만의 독특한 작품세계를 구현했는데 그런 새로운 화풍 때문에 마네의 이름이 유명작가 반열에 오른 거예요.

어떤 면에서 마네의 작품이 독특한지 좀 더 쉽게 말씀해주시겠어요?

●●

예를 들어 마네가 그린 「풀밭 위의 점심」이나 「올랭피아」 같은 작품들은 당시로서는 너무 선정적이어서 전시장에 온 관람객들이 우산이나 지팡이로 때려부수겠다고 난동을 부릴 정도였어요. 평론가들

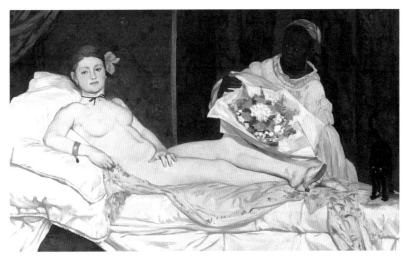

▲「올랭피아」_이 작품은 티치아노의 「우르비노의 비너스」에서 모티브를 얻었다. 그림에는 별로 아름답지 않은 여인이 서슴없이 온몸을 드러낸 채 비스듬이 누워 있고 흑인 하녀가 손님이 보낸 꽃다발을 들고 있다. 이 그림이 전시되자 평론가와 시인들의 혹평과 빗발치는 야유로 작품은 눈에 안 띄는 천장 밑으로 옮겨야 했다. 이 그림에 대한 지나친 비난은 반대로 그가 제시한 표현 기법의 참신함과 근대적 명쾌함을 일반인들에게 인상적으로 남겨 화가에 대한 관심을 집중시켰다.

가들로부터 쓰레기 작품이라는 비난도 받았죠. 그 이유는 한마디로 시대를 너무 앞서나갔기 때문이에요. 당시만 해도 그림의 모델이 되는 것은 왕이나 귀족, 부자들, 종교나 신화 속 주인공이 대부분이었거든요. 하지만 마네는 그들과 생각이 달랐어요. 우선 마네가 그린 대상들은 일상적인 일을 하는 평범한 사람들이었고 당시 유행하던 섬세한 붓 터치 대신 널찍하고 과감한 붓 터치로 생략과 과장기법을 세련되게 사용했어요. 물론 오늘 소개해드리는 「폴리 베르제르 술집」도 마네만의 독특한 분위기가 물씬 풍기는 작품이에요.

▲「폴리 베르제르 술집」 부분 그림_이 작품은 당시 많은 논란을 불러일으켰던 화제작으로 지금까지도 미술학도들로부터 구도적 문제 제기를 받고 있다. 뒷쪽 풍경은 실제가 아니라 거울에 반사된 풍경이다. 그림 오른쪽에 거울에 비친 여성의 뒷모습과 중산모를 쓴 남성이 보인다. 바로 이 장면의 각도 때문에 지금까지도 많은 논란이 제기되고 있다.

마네의 작품 「폴리 베르제르 술집」을 통해 일상적인 일을 하는
평범한 수잔의 지친 표정이 보이는데요.
마네는 이 장면을 그리면서 우리에게 어떤 이야기를 들려주고 싶었던 걸까요?

●●))

19세기 파리에서 이 폴리 베르제르 술집은 사회 각계각층 사람들이 몰려들던 유명 장소였어요. 이 술집에서는 그 명성에 걸맞게 날마다 화려한 쇼와 이벤트가 열렸어요. 그림에서 수잔 앞의 바에 놓인 다양한 술들이 말해주듯 최고급 샴페인부터 저렴한 맥주에 이르기까지 각종 술들이 종류별로 구비되어 있었어요. 많은 분들이 보통 이런 술집에 갈 때는 하루 일과를 마치고 홀가분한 기분으로 스트레스를 풀러 가거나 오랜만에 친구들을 반가운 마음으로 만나러 가실 거예요. 하지만 똑같은 장소라도 각자의 사정과 다른 기분을 가진 사

람들이 모여 있지 않을까요? 그중에는 중요한 비즈니스를 반드시 성사시켜야 하는 사업가가 있을 수도 있고 막대한 자금을 투자해 시작한 업장이 순조롭게 잘 운영되길 바라는 업소 사장님도 있을 거예요. 이 그림 속 주인공 수잔처럼 생계를 위해 어쩔 수 없이 적성에도 안 맞는 이런 일을 해야 하는 사람도 있겠죠. 마네는 이렇게 한 장소에 모인 많은 사람들이 가진 개별성과 각자 감당하고 책임져야 할 일상의 삶을 이 작품을 통해 보여주려고 한 것 같아요.

> 스스로 해결해야 할 심각한 문제나 안 좋은 일 때문에
> 마음이 무거울 때는 주위 사람들이 신나고 흥겨워하는 모습에서
> 오히려 이방인이 된 듯한 외로움을 느낄 수도 있을 것 같아요.

많은 분들이 그런 경험이 있을 거예요. 저는 고 3때 대학시험에 낙방해 재수한 경험이 있는데 재수 시절 명절 때 친척이나 손님들이 오시면 무척 괴로웠어요. 오랜만에 모인 친척들은 명절 분위기에 들떠 즐거워하며 큰소리로 웃고 왁자지껄한 분위기로 온 집안이 들떴지만 저는 재수생이라는 자격지심 때문에 죄인처럼 방구석에 숨어 명절이 빨리 지나가기만 기다렸거든요. 이렇게 같은 시간과 공간 안에서도 각자 느끼는 삶의 무게가 다르고 받아들이는 상황이 다를 수 있는 거예요. 마네의 「폴리 베르제르 술집」에 나타난 수잔의 피로와 수심에 가득찬 얼굴을 보며 저의 재수 시절이 떠올라 감회가 더 새롭네요.

▲모리스 위트릴로의 자화상과 그가 그린 「몽마르트르 생 피에르 성당」_그는 수잔 발라동의 사생아로 태어났으며 애수에 잠긴 파리의 거리 등 신변의 풍경화를 수없이 그렸는데 특히 1909~1912년 무렵 '백(白)의 시대' 작품 중에 수작이 많다.

에두아르 마네의 「폴리 베르제르 술집」의 여종업원 수잔의 모습을 보면서
저도 마네가 그녀를 바라본 것과 같은 안쓰러운 마음이 드네요.
이후 수잔의 삶이 어땠는지 궁금하네요.

●●》

마네가 이 그림을 그린 이후 수잔은 술집 일을 그만두고 화가들의
전문모델로 활동하기 시작했어요. 그래서 르느와르, 로트렉 같은 유
명 화가들의 작품에 모델로 많이 등장했고 모델 일을 하며 그들로부
터 직접 보고 배운 그림 솜씨 덕분에 훗날 여류화가로 활동할 수 있
게 되었어요. 그리고 수잔이 20세 때 미혼모로 낳은 아들 모리스 위
트릴로가 세계적인 화가가 될 수 있었던 것도 어머니 수잔 발라동에
게서 잘 배운 기초 덕분이었다니 마네가 수잔의 인생에 미친 영향이
매우 컸다고 봐야겠죠.

▲「폴리 베르제르 술집」을 재현한 미니어처다.

끝으로 이 작품을 통해 우리가 새롭게 생각해볼 수 있는 것은 무엇일까요?

이 작품「폴리 베르제르 술집」을 보면 우리가 한창 신나고 즐거운 순간에도 거기에 동참하지 못하고 이방인처럼 떨어져 있는 친구가 있다면 마네가 그랬듯이 그 친구에게 손을 내밀어 챙겨주는 따뜻한 마음을 가져야겠다는 생각이 들어요. 사람들마다 맞닥뜨린 형편과 상황이 다르니 더 아파하고 힘들어하는 주변사람들을 배려하고 한번 더 챙겨보는 것은 정말 아름다운 일이라고 생각해요. 이 그림에서 우울해하는 지친 여종업원 수잔을 마네가 따뜻한 시선으로 바라본 것처럼요.

수염 난 모나리자

프랑스 예술가 마르셀 뒤샹(Marcel Duchamp, 1887 ~ 1968)은 오늘날 현대미술에 지대한 영향을 미친 위대한 예술가 중 한 명으로 현대미술을 논할 때 빠지지 않고 거론된다. 그는 현대미술과 철학의 관계에 대해 물질과 개념의 '엥프라망스' 개념을 제시한 것으로 유명하다. 흔히 '현대미술은 난해하다'라는 인식을 심어준 데 큰 영향을 미쳤으며 개념미술의 창시자이자 선구자로 불린다.

세계적인 명화 「모나리자」에 대해서는 모르는 분이 거의 없을 것 같은데요.
그런데 모나리자 얼굴에 그려진 수염이 좀 우스꽝스럽고 생소해요.
먼저 이 작품의 이미지 설명부터 해주시죠.

●●

일명 「수염 난 모나리자」로 널리 알려진 작품이죠. 레오나르도 다 빈치 사망 400주기이던 1919년 프랑스에서 이를 기념하는 엽서가 제작되었는데 뒤샹은 이 엽서에 인쇄된 모나리자 얼굴에 연필로 장난스럽게 수염을 그려넣고 그 밑에 'L.H.O.O.Q(엘라쇼오퀴)'라는 제목을 적어넣었어요. 실제 엽서 위에 그린 작품이기 때문에 가로, 세로 20cm도 안 되는 작은 그림인데 현재 파리의 한 개인이 소장하고 있다네요.

L.H.O.O.Q.

사실 이렇게 명화 위에 장난치듯 덧칠한 그림을 작품이라고 부르기가 살짝 민망한데요. 아이러니하게도 이 작품은 서양미술사의 흐름에 한 획을 그었고 현대미술에 지대한 영향을 미친 중요한 작품으로 손꼽히고 있어요.

> 사실 저도 방금 전까지 '이 정도는 나도 그릴 수 있겠다'라고 생각했어요. 그리고 어떤 면에서는 방금 말씀하신 것처럼 아이들 장난처럼 느껴졌고요. 그런데 이런 작품이 어떻게 현대미술사에서 중요한 작품이 되었는지 궁금하네요.

그런 의문에 충분히 공감이 갑니다. 그런데 이런 기상천외함이 현대미술이 가진 묘미라고 생각해요. 이 작품이 현대미술사에서 중요한 의미를 갖는 것은 미술이 추구해야 할 새로운 방향성을 제시했기 때문이에요.

> 새로운 방향성이라고요?

레오나르도 다 빈치가 그린 「모나리자」는 신비스러운 미소 때문에 전 세계인들의 사랑을 받잖아요? 명화 속 실제 모델은 피렌체의 부유한 상인의 아내이자 르네상스 시대의 아름다움을 대표하는 귀부인이었죠. 그런데 뒤샹은 다빈치가 그린 「모나리자」의 얼굴에 과감히 수염을 그려넣은 거예요. 그리고 한 술 더 떠 「모나리자」 그림 아래에 'L.H.O.O.Q(엘라쇼오뀌)'라는 제목을 적음으로써 자신의 의도를 더 적나라하게 드러냈죠.

▲르네상스 시대 레오나르도 다 빈치의 「모나리자」와 마르셀 뒤샹의 「수염 난 모나리자」

이 그림의 제목이 'L.H.O.O.Q(엘라쇼오꿰)'라고 하셨는데 아까부터 궁금했어요.
엘, 에이치, 오, 오, 큐라고 적혔는데
'엘라쇼오꿰'라고 읽는 것으로 보아 어떤 문장을 줄인 말 같아요.
어쨌든 영어 단어는 아닌 것 같은데 무슨 뜻인가요?

제목에 알파벳 'L.H.O.O.Q'라고 적혀 있잖아요? 프랑스어로 읽으면
'엘르, 아쉬, 오, 오, 뀌'가 되는데 연음을 살려 읽으면 '엘라쇼오꿰'가
되죠. 프랑스어로 "그녀의 엉덩이는 뜨거워"라는 매우 민망하고 저
속한 뜻이에요.

그런 뜻이었어요? 조금 민망하네요.
그런데 서양 르네상스 미술을 대표하는 다빈치의 그림
「모나리자」에 이렇게 짓궂은 장난처럼 수염을 그려넣고
저속하고 민망한 제목까지 붙인 뒤샹의 의도가 무엇이었을까요?

사실 이 작품의 제목에 대해서는 너무 진지하게 생각할 필요가 없어요. 뒤샹은 어디까지나 그림을 변형시키고 여기에 더해 저속하고 천박한 농담을 고의적으로 던지는 '행위'를 보여준 것뿐이에요. 그래서 수염 난 모나리자와 제목은 별 연관성이 없다고 할 수 있어요. 중요한 건 뒤샹이 시도한 행위 자체예요.

설명을 들어도 아직 이해가 잘 안 되네요.
이렇게 기상천외한 뒤샹의 행위가
어떤 점에서 세계 미술사의 중요한 사건이 된 건가요?

이런 장난스러운 낙서를 그려넣은 뒤샹은 '미술은 화가의 의도와 개념을 전달하는 수단이다'라고 말한 적이 있어요. 「모나리자」가 지닌 세계적 위상 때문에 그동안 이 작품의 명성과 권위에 감히 저항하거나 도전하는 상상은 할 수 없었고 미술계에서는 르네상스풍의 이런 그림이야말로 완결된 의미를 지닌 전형적인 미술 형태로 여겼죠. 그런 위상과 권위에 뒤샹이 과감히 도발한 거예요.

뒤샹이 쓱쓱 그려넣은 수염과 낙서 한 줄로 세계적 명화는 전혀 다른 의미의 다른 작품이 되잖아요. 수백 년 동안 지속되어온 르네상스의 권위와 천재 다빈치의 손길이 녹아 있는 작품의 품격이 한순간

▲「**수염 난 모나리자**」_패러디라고 하기에는 「모나리자」 원본 인쇄물에 수염만 그려 넣어 행위예술로 보는 것이 적합하다.

에 일그러졌어요. 그림 속에는 심각하게 망가진 여성도 남성도 아닌 우스꽝스러운 수염이 난 괴물이 존재할 뿐이죠. 이런 행위를 통해 뒤샹은 항상 익숙한 방식으로 사물을 바라보려는 안이한 태도와 관습, 통념을 버리고 새로운 시각에서 세상을 바라보라는 메시지를 전하고 싶었던 거예요.

기존 통념을 버리고 새로운 시각에서 세상을 바라보라는 말씀이 무척 인상적이네요.

이렇듯 뒤샹은 우리 주변의 익숙한 사물에 '새로 다시 고쳐보기', '새로운 이름 지어주기'를 통해 새로운 아름다움을 발견해나가는 것이 오늘날 미술이 나아갈 방향이라는 것을 보여주고 싶었던 거예요. 뒤샹은 이런 생각을 표현하기 위해 세계적 명화 「모나리자」가 인쇄된 기성품에 새로운 의미와 제목을 부여해본 것이죠. 여기서 잠깐! 오늘도 새로운 미술용어 하나를 알려드릴게요. 이렇게 「수염 난 모나리자」처럼 기존 사물에 전혀 새로운 의미를 담아 새로운 생각을 유도해내는 것을 '레디메이드'라고 해요. 영어 ready-made의 사전적 의미는 '기성품의', '전시용의' 작품이라는 뜻이지만요. 뒤샹이 창조해낸 이후 예술적 측면에서 더 다양한 철학적 의미로 통용되는 용어가 되었어요.

마르셀 뒤샹이라는 화가는 알면 알수록 놀랍네요. 그는 어떤 사람인가요?

마르셀 뒤샹은 1887년 프랑스 출생으로 그의 아버지는 공증인이었고 비교적 넉넉한 가정환경에서 6남매 중 셋째 아들로 자랐어요. 어릴 때부터 특출나게 명석해 전국 수학경시대회에서 1등을 차지했고 훗날 미술가로 활동하면서도 프로 체스선수로도 명성을 떨쳤다네요. 뒤샹은 오늘날 '현대미술의 아버지'라는 영광스러운 칭호를 받고 있는데요. 그건 '하고 싶은 일이 있으면 무조건 지원해줄 테니 열정적으로 하라.'라는 자애로운 아버지 덕분이었어요. 뒤샹은 프랑스에서 미술작가로 활동하다가 제2차 세계대전의 여파로 미국으로 건너가 미국 미술 발전에 큰 공헌을 했어요. 사실 그는 미술작가라기보다 천재성을 지닌 기인이자 철학자에 가까웠어요. 어쨌든 그는 현대의 레오나르도 다빈치라고 할 만큼 상상을 초월한 「수염 난 모나리자」 같은 작품을 통해 새롭고 기상천외한 미술의 철학적 개념을 제시함으로써 지금 이 순간까지 현대 예술가들의 롤 모델이 되고 있어요. 그러다 보니 뒤샹은 현대 들어 더더욱 현대미술에 가장 큰 영향

마르셀 뒤샹의 자소상

▲**마르셀 뒤샹**_그는 화가의 손을 해방시켰다. 그의 오브제 작품들과 소변기, 유리, 나무상자 같은 '레디메이드' 즉 기성품들을 새로운 차원으로 올려놓음으로써 산업화 시대로 도래한 물질주의 시대, 대량생산 시대의 예술가로 탄생한 것이다. 마르셀 뒤샹을 만든 것은 현대 자본주의, 대량생산이기도 하다.

을 미친 인물 설문조사에서 늘 1위로 뽑혔죠. 어찌 보면 오늘날 현대 미술이 이렇게 난해하고 복잡해진 것은 뒤샹 때문인지도 몰라요. 미술작가가 단순히 그리기만 잘하는 기술적 면모만 갖추기보다 뒤샹이 말한 대로 우리 주변의 사물을 늘 새롭게 바라보고 새로운 의미를 부여하고 새로운 아름다움을 발견해나가는 것을 예술로 인정하는 시대가 바야흐로 왔기 때문이에요.

우리처럼 평범한 사람들도 주변에서 새로운 아름다움을 발견하고 새로운 의미를 부여할 수 있다면 누구나 미술작가가 될 수 있지 않나요?

•• ⚬⚬

당연하죠. 우리는 이런 예술행위를 우리 삶 속에서 실현해야만 우리 인생을 더 멋지고 아름답게 살 수 있는 거예요. 반드시 특정 기법을 배우고 하루 종일 화실에서 뭔가를 그려야 예술가가 되는 건 아니에요. 우리가 생활 중에 얼마든지 아름다움을 새로 발견하고 새롭게 고쳐보고 새로운 의미를 부여하고 새로운 이름을 지어볼 때 우리는 각자 예술행위를 하는 거예요. 그래서 우리 모두 예술가가 될 수 있는 거예요. 그걸 바로 뒤샹이 가르쳐준 거예요.

끝으로 이 작품 「수염 난 모나리자」를 통해
우리가 새롭게 생각해볼 수 있는 것은 무엇일까요?

마르셀 뒤샹의 「수염 난 모나리자」를 보면서 기존 통념과 관습을 깨고 새롭게 보는 것 자체가 우리 삶을 예술적 삶으로 바꾸는 거라고 말씀드렸어요. 저는 이 세상 모든 사물 하나하나를 새롭게 보려는 태도도 좋지만 우선 내 주변의 가장 가까운 사람부터 새롭게 보는 시각을 가져야 한다고 생각해요. 내게 늘 익숙한 사람도 다른 곳에서는 전혀 새로운 의미를 가질 수 있잖아요. 내게는 귀여운 아들이지만 회사에서는 성실하고 일 잘하는 직원일 수 있죠. 이렇게 우리 주변의 가까운 사람부터 레디메이드적 시각으로 새롭게 고쳐보고 새로운 의미를 부여해보는 것도 우리가 예술적 삶을 실현하는 데 가장 적합한 방법 아닐까요?

친절한 미술관

No. 5

잭슨 폴록(Jackson Pollock, 1912~1956)은 추상표현주의를 주도했으며 특히 액션 페인팅의 대표적 인물이다. 상당한 양식적 실험을 거친 끝에 1947년 '드리핑'이라는 극단적 기법을 개발했는데 이후 그의 전형적인 작품 양식으로 굳어졌다. 그의 노력으로 폴록은 미국 미술계의 첫 번째 슈퍼스타로 각광받았으며 특히 1947년부터 1952년까지의 작품은 미술계에 대변혁을 일으켰다.

이런 작품이 현대미술이라는 건 알겠는데 무엇을 그린 것인지, 어떤 의미가 있는지 난해하기 짝이 없네요. 이 작품의 대략적인 설명 부탁드려요.

1948년 미국 작가 잭슨 폴록이 제작한 작품으로 가로 2m 40cm, 세로 1m 20cm의 비교적 큰 캔버스를 바닥에 깔고 그 위에 공업용 페인트를 흩뿌리는 방식으로 떨어뜨려 제작했어요. 여기저기 아무렇게나 떨어진 여러 물감이 혼합되어 전반적으로 갈색조를 이루지만요. 이 작품은 도대체 무엇을 그리고 무엇을 표현했는지 언뜻 봐도 잘 알 수가 없어요. 오랫동안 자세히 봐도 뭐가 뭔지 알 수 없는 추상화에요. 이 작품은 2006년 1,400억 원에 팔려 화제가 되었어요.

▲「No. 5」_폴록은 처음으로 평평한 캔버스에 에나멜 물감이나 알루미늄 물감을 몇 번 붓거나 떨어뜨리는 방법을 사용했는데 작업과 심사숙고를 번갈아가며 캔버스를 완성하는 데 몇 주일씩 걸리기도 했다.

이 작품을 처음 보았을 때 무엇을 표현했고 무엇을 보라는 건지 좀 난감했는데요.
저뿐만 아니라 다른 사람들도 같은 느낌이었다니 다소 위로가 되네요.
이렇게 물감을 뿌린 작품이 1,400억 원에 팔린 게 납득하기 어려운데
그 부분을 설명해주세요.

이 작품 「No. 5」를 보시고 지금도 많은 분들이 쉽게 받아들이지 못하

실 것 같아요. 하지만 이 작품은 약 80년 전 제작되어 당시도 빅히트

▲「**연속 스트레치**」_추상미술의 선구자 바실리 칸딘스키의 작품으로 잭슨 폴록은 추상미술에서 한 걸음 더 나아가 추상표현주의를 추구했다.

를 쳤고 오늘날까지 세계적인 화제를 모으고 있어요. 우리가 좋든 싫든 이 작품의 가치가 이 정도인 것은 사실이니 받아들여야겠죠. 그 이유를 생각해보는 것도 재미있어요. 잭슨 폴록이 이 작품을 제 작한 방식도 독특하지만 완성된 작품 자체도 매우 독특해요. 1910년 추상미술이 러시아 칸딘스키에 의해 시작된 이후 추상미술의 거장 들에 의해 오늘날까지 발전해왔지만 1940년 잭슨 폴록의 추상이 기 존 추상에서 한 발 더 나아간 새로운 추상으로 등장하면서 그는 새 로운 '추상표현주의' 회화의 거장이라는 세계적 명성을 얻었어요.

▲액션 페인팅을 시도하는 잭슨 폴록_추상표현주의라는 새로운 장르를 선보인 폴록에 대해 캔버스를 목숨을 걸고 싸워야 하는 격투기장 '아레나'로 표현하는 비평가도 있다.

추상표현주의는 듣기만 해도 복잡하고 어려운데요. 구체적으로 어떤 건가요?

잭슨 폴록의 이런 종류의 작품들은 대부분 크기나 제작 방식이 비슷비슷해요. 거대한 캔버스를 바닥에 펼쳐놓고 작가가 그 위를 오가며 페인트를 뿌려댄 그림이어서 낙서 같기도 하고 누군가가 장난친 것 같기도 해요. 그래서 우리에게 엔트로피(Entropy), 즉 혼돈의 느낌을 주죠. 이전에도 추상은 있었지만 상하좌우 구분도 없이 전면이 벽지처럼 균질하게 그려진 작품은 이게 처음이었어요. 여기서 간단한 미술용어 하나를 알려드릴게요. 이렇게 벽지처럼 전면이 균질한 작품을 All Over Painting, '전면균질화'라고 불러요. 당시 미국 평론가 그린버그가 잭슨 폴록의 추상을 '추상표현주의'라고 명명한 데서 비롯

▲**액션 페인팅**_제2차 세계대전 이후 뉴욕을 중심으로 미국 화단을 지배했던 전위적 회화운동이다. 순간적인 행위를 통해 나타난 우연성 효과를 새로운 미의식으로 발전시켰다. 완성된 작품의 미적 가치보다 작품을 제작하는 행위 자체에 가치를 두었다고 볼 수 있다.

되었어요. 하지만 평론가 그린버그와 이름이 비슷한 로젠버그라는 평론가는 잭슨 폴록의 작품을 '추상표현주의'보다 '액션 페인팅'이라고 부르는 게 맞다고 주장하기도 했어요.

액션 페인팅요? 일반적으로 액션이라면 뭔가 움직이는 동작을 생각하는데 미술에서 '액션 페인팅'은 또 먼가요?

액션 페인팅이라는 용어를 최초로 사용한 인물은 앞에서 말씀드린 미국 평론가 로젠버그예요. 그는 잭슨 폴록이 몸을 움직여 캔버스 위에서 이렇게 물감을 흩뿌리거나 떨어뜨린 행위의 결과물인 이 추상에서 가장 중요한 것은 작품이라는 결과가 아니라 과정이라고 주장했어요. 그 과정이 바로 행위인 것이죠. 그래서 이 작품은 작가의 행위에서 비롯된 결과물일 뿐이라는 거예요. 한마디로 정작 중요한 것은 작품이라는 결과물보다 이 작품을 제작하기 위해 행위하는 과정이라는 거예요. 그런 액션 페인팅을 우리나라에서는 '행위예술'이라고 불러요. 당시 평론가의 이런 해석은 1950년대 유행하던 실존주의의 영향을 받았어요. 키에르케고르, 하이데거, 사르트르 같은 실존주의 철학자들은 '지금 여기서'의 주체적인 내 삶을 강조했거든요. 그런 맥락에서 액션 페인팅은 실존주의와 궤를 함께 한다고 볼 수 있어요.

처음에는 어지럽고 정신없는 낙서 같은 이 그림을 보고
"이건 뭐지?" 생각했는데 이 작품 하나에서 몇 개나 되는
현대미술 용어들을 배우게 될 줄은 몰랐어요.
그런데 이런 그림은 누구나 그릴 수 있을 것 같은데 이렇게까지
미술사에 한 획을 그은 새로운 사조로 등장한 게 솔직히 이해가 안 되네요.

사실 대부분 사람들의 공통적인 견해일 거예요. 여기서 깜짝 퀴즈 하나 낼게요. 잭슨 폴록과 우리 일반인들에게 똑같은 재료와 상황을 주고 함께 이런 그림을 제작하기 시작했다고 가정해봐요. 잭슨 폴록과 우리가 작품을 제작하는 수준은 다를까요? 같을까요? 정답은 '다르다'입니다. 잭슨 폴록의 작품이 훨씬 아름다워요. 이제 진짜 문제 나갑니다. 그럼 잭슨 폴록과 우리 일반인들의 차이는 도대체 무엇일까요? 바로 잭슨 폴록은 이 그림을 언제 멈춰야 할지 알지만 우리는 모른다는 거예요. 그게 바로 '신의 한 수'예요. 위대한 예술작품은 언제 멈춰야 가장 아름다운지 그 적정 지점을 정확히 알고 멈춰 최적

의 상태를 뽑아낸 작품이에요. 가장 중요한 건 이런 추상작품을 우리가 어떻게 보느냐는 것이겠죠. 그 해답은 의외로 간단해요. 여러분 마음대로 자유롭게 보시면 돼요. 어떤 의미, 생각, 심지어 어떤 제목을 내 마음대로 부여해도 되는 거예요. 그래서 이런 추상작품은 제목 대신 넘버링을 해놓는 경우가 많아요.

그렇군요. 잭슨 폴록은 어떤 작가인가요?

잭슨 폴록은 1912년 미국 와이오밍주 가난한 농가에서 태어나 1956년 44세 이른 나이에 죽은 작가로 워낙 산만하고 불안한 성격 때문에 고등학교를 마치지 못하고 퇴학당했어요. 화가였던 형을 따라 뉴욕에 와 본격적으로 그림을 배웠고 자신이 걸어오며 쌓은 특이한 이력을 활용해 훗날 이런 그림을 그려 세계적인 대스타가 될 수 있었어요.

첫째, 1930년대 당시 멕시코 벽화운동을 주도하던 디에고 리베라가 자신의 동료 시케이로스와 함께 뉴욕에 와 벽화를 제작했는데 이때 잭슨 폴록이 시케이로스의 조수로 일했어요. 이때 잭슨 폴록은 벽화를 그리기 위해 붓에 물감을 묻혀 색을 칠하는 게 아니라 물감을 깡통에 담아 캔버스에 쏟아내는 방식의 작업을 처음 보았는데 이 새로운 방식이 훗날 이렇게 드리핑 작업에 영향을 미쳤다고 볼 수 있어요.

둘째, 잭슨 폴록은 초현실주의 미술작가들이 인간의 무의식을 표현하기 위해 추상적으로 붓이 가는 대로 그리던 '자동기술법'에도 관심

▲잭슨 폴록 자화상_액션 페인팅 기법으로 그린 초상이다.

이 많았어요. 자동기술법은 우연적 효과로 아름다움이 만들어진다
는 기법이에요. 여기서도 잭슨 폴록은 구상화에서 느끼지 못하는 가
공되지 않은 원초적 아름다움을 발견했어요.

▲「서부로 가는 길」_잭슨 폴록의 구상적인 초기 작품이다. 굽이치는 소용돌이를 만들다가 이내 잠
잠해진 침울한 밤 하늘 아래 모든 것이 잠들어 있다. 보름달이 환히 길을 비추는 가운데 마차를 끄
는 말들이 밝은 빛속으로 끌려 들어가는 느낌이다.

셋째, 잭슨 폴록 자신이 와이오밍 출신이어서 인디언 문화를 자주
접했기 때문에 인디언 문화에서 볼 수 있는 특유의 원색을 좋아했어
요. 그의 감성에는 이런 요소들이 기본적으로 내재되어 있었고 그것
들이 어우러져 이렇게 새롭고 창의적인 추상을 보여줄 수 있었어요.
따지고 보면 그의 이런 재능에 당시 미국 문화전쟁의 핵심작전이던
'잭슨 폴록 띄우기'가 더해진 것이 오늘날 잭슨 폴록이 세계적 스타
가 된 이유이기도 해요.

▲「**벽화**」_잭슨 폴록이 유채화법으로 하루 낮밤에 완성했다는 믿기 힘든 주장이 있다. 초기 폴록의 비약적인 발전을 보여주는 중요한 경력이 된 이 작품 속에는 피카소와 아메리칸 인디언, 스승인 벤튼의 그림 등 자신의 모든 것이 총체적으로 표현되어 있다.

미국 문화전쟁은 무엇이고 또 '잭슨 폴록 띄우기'는 뭔가요? 계속 충격이네요.

간단히 말씀드리면 미국은 제2차 세계대전에서 공을 세우고 막대한 부를 소유했지만 수천 년간의 문화적 유산이 있는 유럽 국가들에게 문화적 열등감이 커 정부차원에서 CIA를 동원해 미국 예술을 세계 최고의 예술로 끌어올리는 프로젝트를 전투적으로 밀어붙였어요. 대규모 미술관과 평론가, 재벌 콜렉터와 작가가 동원되었는데 그 중심에 잭슨 폴록이 자신의 의지와 상관없이 있었던 거예요. 당시 미

국은 특히 소련과 대치상태였는데 잭슨 폴록의 추상이 순수하고 개인주의적이고 자유로운 느낌을 주었기 때문에 이런 면에서 소련의 정치적 예술과의 차별성을 나타냈어요. 생각해보면 잭슨 폴록의 미술이 가장 정치적이잖아요? 그래서 세상이 아이러니한 거예요.

끝으로 이 작품을 통해 우리가 새롭게 생각해볼 수 있는 것은 무엇일까요?

이렇게 광적으로 물감을 흩뿌리고 내면의 감정을 표현하기 위해 애썼던 잭슨 폴록은 자신의 우울증과 강박증, 알콜중독증을 이기지 못하고 술에 취하면 그냥 길에 쓰러져 자고 툭하면 폭력을 휘두르고 아무데서나 소변을 보는 등 기행을 일삼았어요. 정신과 치료도 오래 받았지만 이렇게 파괴적이고 광적인 성향은 끝내 고칠 수 없었고 젊은 여자 두 명을 태우고 만취 상태로 운전하다가 교통사고로 44세 이른 나이에 허망하게 죽었어요. 저는 그런 잭슨 폴록의 작품을 보면 그의 내면이 늘 저렇게 뒤죽박죽 정리가 안되고 불안했던 것에 동정이 가요. 하지만 평범한 우리도 저 그림처럼 마음 상태가 어지럽고 복잡할 때가 가끔 있어요. 하지만 이 그림의 혼란스러운 아름다움처럼 나름대로 충분히 내 인생의 아름다운 가치가 있는 시간이에요. 그래야 인생이 풍부하고 재미있겠죠.

◀◀**폴록의 액션 페인팅 작품_**잭슨 폴록의 액션 페인팅 기법으로 그린 작품이다. 액션 페인팅 물감을 흩뿌리거나 흘리거나 튀겨 그리는 기법으로 폴록에 의해 창안되었다. 물감뿐만 아니라 동전부터 열쇠에 이르기까지 온갖 잡동사니가 동원되었다.

생일

마르크 샤갈(Marc Chagall, 1887 ~ 1985)은 유럽 화단의 가장 진보적인 흐름을 누비며 독창성과 일관성을 유지하는 가운데 자신의 미술세계를 발전시켰다. 그는 러시아의 민속적인 주제와 유대인의 성서에서 영감을 받아 인간의 원초적 향수와 동경, 꿈과 그리움, 사랑과 낭만, 환희와 슬픔 등을 눈부신 색채로 펼쳐낸 표현주의의 거장이다. 특히 가난한 예술가였던 그는 부유한 집안의 딸 벨라와의 순애보로 유명한데 그의 작품 곳곳에 묻어나 있다.

마르크 샤갈이라는 이름에서 벌써부터 마음이 설레네요.
이 「생일」이라는 작품은 한눈에 봐도 정말 아름답고 로맨틱하게 느껴지는데요.
이 작품의 대략적인 설명 부탁드려요.

이 작품은 현재 뉴욕 현대미술관에 소장되어 있고요. 크기는 가로, 세로 1m가 약간 안 되고 판지에 유화로 그렸어요. 그림을 보면 화면 중앙에 남성이 공중에 연기처럼 붕 떠 꽃을 든 여인의 사랑스러운 얼굴에 키스할 듯 가까이 맞닿아 있어요. 그들의 행복한 모습을 둘러싸고 붉은 바닥과 뚜렷한 흑백, 푸른색 등의 색채 조화가 말 그대로 이 커플의 로맨틱한 순간을 말해주는 듯해요.

▲「생일」_샤갈의 아내 '벨라 로젠벨트'와의 관계를 묘사한 그림이다. 부유한 그녀의 부모는 가난한 샤갈과의 결혼을 반대했지만 그의 끈질긴 청혼 공세를 못 이기고 승낙했다. 샤갈이 청혼하는 모습 이 그림에 잘 나타나 있다.

설명을 듣고 보니 샤갈이 표현해놓은 남녀의 몸짓이나
색채의 조화가 정말 로맨틱하네요.
작품 제목이 「생일」이어서 그런지 더 사랑스럽고 들뜬 기분이 드네요.
더 자세한 설명 부탁드려요.

「생일」이라는 작품은 샤갈이 오랫동안 간절히 원했던 연인 벨라와 결혼식을 올리기 열흘 전 자신의 생일을 표현했어요. 벨라가 생일을 축하해주기 위해 자신의 화실로 꽃다발을 가져온 것을 기념해 즉석에서 벨라에게 그려준 그림이에요. 그래서 샤갈 자신에게도 특별한 의미가 있는 작품이에요.

그래서 그림이 이렇게 달콤했던 거군요.
그런데 세계적인 화가 샤갈이 그토록 오랫동안 간절히 결혼하기를 원했던
벨라는 어떤 여인이었는지 궁금합니다.

●●

자신보다 아홉 살 어린 벨라를 처음 본 순간 샤갈은 이런 생각을 했다 네요. "그녀의 침묵은 내 것이었고 그녀의 눈동자도 내 것이었다. 그녀 는 내 어린 시절과 부모님, 내 미래를 모두 아는 것 같았고 나를 꿰뚫어 보는 것 같았다." 그녀를 처음 본 순간부터 자신의 운명의 연인으로 받 아들인 거예요.

샤갈이 벨라를 처음 본 순간 운명의 연인으로 받아들인 거라고요?
정말 굉장한 찐사랑이네요.

●●

누군가를 내 연인으로 받아들인다는 것은 상대방의 현재는 물론 과 거와 미래도 나와 공유하는 거잖아요? 내 과거와 미래까지 공유하겠 다는 것이죠. 하지만 당시 샤갈의 처지로는 사랑하는 연인 벨라와 결 혼하기까지 시간과 노력이 많이 필요했어요. 샤갈은 러시아 비텝스 크라는 마을에서 생선가게 직원이던 아버지와 소규모로 야채장사를 하던 어머니 사이에서 9남매 중 장남으로 태어난 유대인이었어요. 그런 샤갈이 생페테르부르크에서 화가의 꿈을 한창 키우던 23세 무 렵 고향 비텝스크에 갔다가 자신보다 아홉 살 어린 벨라를 처음 만나 사랑에 빠진 거예요. 벨라도 유대인이었지만 매우 아름다운 용모에 집안은 샤갈의 집안과 비교할 수 없을 정도로 부자였어요. 게다가 벨 라는 러시아 최고 여성 기숙학교에서 교육받았을 만큼 학력도 뛰어

▲「도시 너머」_마르크 샤갈의 유명작 중 하나다. 샤갈과 벨라 부부는 연처럼 허공을 날아오른다.
샤갈은 아내를 꼭 안고 있다. 그 아래 집은 빨간 집 하나를 제외하면 모두 같은 색이다. 그들은 중력
을 무시하고 행복한 연인이 되어 포옹한 채 마을 위를 날아간다.

나 가난한 화가 지망생이던 샤갈의 처지로서는 벨라와 감히 결혼한
다는 엄두조차 하기 힘든 상황이었어요.

그런데 어떻게 그렇게 심각한 격차를 극복하고 결혼에 성공할 수 있었나요?

사실 연인끼리는 자기들만 좋으면 그만이지만 샤갈은 엄격한 유대
인 전통을 따랐기 때문에 정당하게 어른들의 인정을 받고 결혼할 방
법을 취했어요. 그래서 샤갈은 자기 노력으로 자신의 수준을 상대방
만큼 끌어올린 거예요. 샤갈은 생페테르부르크 미술학교에서 미술

▲**샤갈과 벨라**_1926년 파리의 샤갈 작업실

공부를 도강으로 배우고 파리로 건너가 승부수를 띄웠어요. 당시 세
계 문화·예술의 중심지이던 파리에서 샤갈은 자신만의 고유한 러
시아 특유의 정체성을 담은 작품으로 기량을 선보여 유명화가로 등
극했어요. 이런 성과를 들고 고향 비텁스크에 와 벨라 부모님에게서
정식으로 결혼 승낙을 받은 거예요.

사랑의 힘이 놀랍긴 놀랍네요.
사랑하는 여인과 결혼하기 위해 세계적인 무대 파리에서
최고의 성과를 냈다니. 샤갈이 그렇게까지 해왔으니 벨라의 부모님도 어쩔 수 없었겠네요.

●●○

그렇겠죠. 제가 벨라의 부모님이라도 어쩔 수 없었을 거예요.

그런데 파리에서 샤갈이 사람들을 감동시킨
러시아 특유의 정체성과 특징을 담은 작품은 구체적으로 어떤 건가요?

샤갈의 작품이 파리사람들을 감동시킨 요인은 크게 세 가지인데 이 세 가지 특징이 샤갈 작품의 대표적인 특징으로 요약할 수 있어요. 첫째는 러시아 특유의 농익은 색채예요. 러시아를 여행해보신 분들은 고개를 끄덕이실 거예요. 일찍부터 러시아는 화려한 정교회 미술이 발달해 색채 감각이 뛰어난 화가들이 많았고 심지어 현대 추상의 시조도 러시아에서 시작되었어요. 또한, 샤갈 자신은 "작가로서 인생에서 가장 중요한 일은 '사랑의 색'을 찾는 것이다."라고 말할 정도로 색채 표현에 집중했어요. 그래서 오늘날 샤갈이 '색채의 마술사'로 유명한 거예요.

나머지 두 가지는 뭔가요?

두 번째는 '시적 감성'이에요. 샤갈 작품에 면면히 흐르는 시적 감성을 보면 러시아 특유의 문학적 깊이가 느껴져요. 러시아 문학은 현대 철학자들도 깊이 고개숙여 경외하는 문학이에요. 세 번째는 '유머' 감각인데요. 샤갈 작품을 보면 동물을 의인화하거나 사람들이 마을에서 거꾸로 걸어다니는 등의 아이러니를 통해 풍부하게 배어 나오는 샤갈만의 독특한 유머 감각을 볼 수 있어요. 그런 참신한 유머 감각은 현대미술에서의 우수성을 논할 때도 중요한 비중을 차지해요. 이렇게 샤갈에게 독특한 유머 감각이 살아있는 것은 그가 유대인이기 때문인 것 같아요.

▲「키스」_1915년 샤갈은 고향에서 가장 부유한 집안의 딸 벨라 로젠벨트와 결혼했다. 그의 작품에는 사랑하는 아내와의 다정한 모습이 자주 등장하는데 이 작품에서 겨울과 청색 시대에 어울리는 뜨거운 사랑을 묘사하고 있다.

맞아요. 그게 바로 오늘 샤갈에 대한 설명의 전부라고 할 수 있어요.
샤갈의 작품 곳곳에 보이는 사랑의 힘은 정말 놀라워요. 그렇게 애
절히 사랑했던 벨라가 있었기에 가능했어요. 이 그림만 보더라도 벨
라와 함께 하는 그 자체만으로 샤갈이 더없는 기쁨을 만끽하는 게
느껴지잖아요?

우리도 자기 생일을 기념하기 위해 생일선물을 주고받고 파티도 열
잖아요? 그런데 세상에서 가장 아름답고 값진 선물은 무엇일까요?
샤갈의 그림은 그 선물이 바로 당신이 사랑하는 그 사람이라고 말
하고 있어요. 샤갈의 그림은 우리가 사람을 만나 사랑에 빠지는 것
이 얼마나 놀라운 기적이고 신비스럽고 황홀한 사건인지를 보여주
고 있어요. 그래서 내 삶에 아름다운 그 사람이 나와 함께 하는 것은
우리가 살면서 얻을 수 있는 최고의 선물이라는 것을 말해주고 있어
요. 그래서 우리는 인생을 살면서 내가 받은 최고의 값진 선물인 그
사람에 대해 늘 고마운 마음을 갖는 것이고 나도 그 사람에게 이 세
상 최고의 아름다운 선물이 되기 위해 늘 정성을 기울여야 한다고
생각해요.

우는 여인

파블로 피카소(Pablo Picasso, 1881 ~ 1973)는 입체주의의 창시자로 양식과 매체의 변경에도 기교, 독창성, 해학의 한계가 없이 작품을 제작했던 20세기 최고의 거장이다. 초기 청색 시대를 거쳐 종합적 입체주의까지 입체주의 미술 양식을 창조했으며 아방가르드 미술 모임의 핵심인물로 많은 미술가에게 영향을 미쳤다. 그는 많은 여성 편력(7명)으로도 유명한데 그의 아내이자 연인이자 예술가인 도라 마르와의 관계에서 영감을 주고받았다.

피카소는 워낙 유명해 모두 잘 아실 텐데요.
오늘 우리에게 소개해주실 「우는 여인」이 어떤 작품인지 궁금하네요.

●◐

피카소하면 연상되는 작품은 「아비뇽의 아가씨들」이나 「게르니카」일 거예요. 하지만 오늘 제가 준비한 작품은 「우는 여인」으로 피카소가 동거했던 사진작가 도라 마르(Dora Maar)라는 여인을 모델 삼아 그린 그림이에요.

피카소의 다른 유명작도 많은데 이 작품을 소개해주시는 이유가 궁금하네요.

●◐

이 작품에는 피카소의 유머가 담겨 있어요. 저는 이 작품을 통해 우리가 웃으며 즐겁게 사는 것이 중요하다는 것을 보여드리고 싶어요.

▲**피카소와 도라 마르**_도라는 피카소의 주요 작품에 영감을 주었다. 그녀는 「우는 여인」에 대한 집착에 슬픔을 빌려줄 만큼 관대했다.

그림 속 여인이 울고 있는데 웃음을 말씀하시니 좀 난감하네요.
그림 속 여인은 왜 저렇게 슬피 울고 있나요?

●●

여인이 남자 앞에서 왜 울겠어요? 뭔가 속상하고 괴로운 일이 있으니까 저렇게 눈물을 펑펑 쏟는 거겠죠. 피카소 평생에 소위 살림을 차렸던 여성만 일곱 명인데 그중 도라 마르는 다섯 번째였어요. 바람기가 충만했던 피카소가 자신에게 만족하지 않고 또 다른 여자들을 만나고 돌아다니니 저렇게 울고불고하는 거예요.

다섯 번째 여성에게도 만족하지 못하고 또 다른 여성에게 눈길을 돌리다니
피카소도 정말 못 말리는 바람둥이였네요. 자기 아내가 저렇게 슬피 우는데
왜 저렇게 우스꽝스러운 모습으로 그려놓은 건가요? 피카소는 좀 짓궂은 면이 있었네요.

●●

도라 마르가 이 그림을 보고 피카소에게 "나를 왜 이렇게 그렸어요?"라고 물어봤대요. 그러자 피카소는 "당신은 매일 울잖아."라며

▲런던 테이트 갤러리에 소장되어 있는 「우는 여인」

울보 아내를 놀렸다네요. 자신의 바람기 때문에 우는 아내를 저렇게 우스꽝스럽게 그려놓고 그것도 모자라 아내를 놀리는 피카소가 인간적으로 정말 나쁜 남자라는 생각이 들 거예요. 그런데 아이러니하게도 이 작품의 예술적 가치는 슬피 우는 아내를 저렇게 우스꽝스럽게 그려놓았다는 데 있어요.

슬피 우는 아내를 우스꽝스럽게 그려놓았다는 이야기를 들으니 저는 화가 나는데 거기에 예술적 가치가 있다니 그건 또 무슨 얘기죠?

이 「우는 여인」을 보면서 관람객들은 슬픔을 느끼기보다 자신도 모르게 웃게 되잖아요? 그것은 입체주의적 기법에 유머를 더해 슬픔을 웃음으로 승화시킨 피카소만의 천부적인 감각이에요.

▲「도라 마르의 초상화」_파리 피카소 미술관에 소장되어 있다.

그런 유머가 미술작품에서 예술적 가치를 더한다니 놀랍네요.
현대예술에서 이 유머가 정말 중요한 요소라는 건가요?

미국의 대표적 미술 전문잡지 「아트뉴스」에서 2007년 창간 105주년을 맞아 세계적인 미술이론 전문가 30여 명을 대상으로 105년 후에도 살아남을 작가를 선정하게 했어요. 선정 기준은 독창성, 작품의 정신세계, 다른 작가들에게 미친 영향, 접근 가능성, 유머였어요. 유머가 포함되어 있다는 게 놀랍지 않나요? 이제 작품에서 유머의 유무가 작품을 판가름하는 요소가 된 거잖아요? 이렇게 지금까지 우리가 경박하고 하찮은 것으로 치부해왔던 유머가 이제 위대한 예술작품을 판가름하는 요소라는 것이 현대예술의 특징이에요.

저도 현대인에게 유머가 꼭 필요한 감성이라고 생각하는데요.
과거에는 사람들이 이런 유머를 싫어했나요?

저도 유머가 좋아요. 유머는 곧 웃음이니까요. 요즘에야 이런 웃음과 유머를 싫어하는 사람이 어디 있겠어요? 하지만 고대부터 중세까지 서구 사회에서는 웃음이 진지함에 비해 열등한 것으로 치부되었어요. 대표적인 예로 고대 아리스토텔레스(Aristotle, 기원전 384~322)는 자신의 저작 『시학』에서 비극이 우월한 사람들을 다룬 반면, 희극은 열등한 사람들을 다룬 것만 봐도 알 수 있어요. 그리고 이후 기독교가 모든 삶을 지배했던 중세 사회에서는 웃음에 대해 더 부정적이었어요. 이런 시대적 배경을 적절히 표현한 움베르토 에코(Umberto Eco, 1932~2016)의 소설 『장미의 이름』을 보면 잘못된 신념으로 살아온 장님 수사 호르헤가 "웃음은 경박하고 주님을 욕되게 하는 악마다"라고 단정하며 죄악을 넘어 이단으로까지 간주하는 장면이 나와요. 이것은 에코가 소설을 통해 당시 사람들의 이런 생각들을 단적으로 대변한 것이죠. 그런데 서구인들의 이런 관념은 근·현대 들어 큰 변화를 맞이했어요. 바로 현재의 삶에서 웃음의 긍정적 가치를 인정하기 시작한 거예요.

> 모든 시대를 통해 유머가 긍정적으로 평가된 건 아니었군요.
> 저도 대체로 유머가 없는 사람보다
> 유머가 있는 사람에게 호감이 더 가는데 전에는 왜 그랬는지 모르겠네요.

저도 유머가 없는 사람보다 유머 있고 잘 웃는 사람이 좋아요. 알고 보면 사람은 다 비슷하잖아요. 옛말에도 '웃으면 복이 온다'라고 하잖아요. 과거에는 웃음을 경박하게 취급해 유머의 가치를 중시하지 않았지만 지금 피카소의 「우는 여인」이라는 작품만 봐도 유머가 그 가치를 인정받고 있네요. 이 「우는 여인」은 2010년 소더비 경매에서 한화 약 823억 원에 팔렸어요. 오늘날 경제적 가치로만 봐도 어떤가요? 유머의 가치가 결코 만만치 않죠. 그래서 현대의 많은 예술가들이 작품에 이 유머를 구현하기 위해 노력하는 거예요. 그리고 우리도 현대미술을 감상할 때 이 유머적 요소를 보는 눈이 필요해요.

▲「피카소 초상화」_도라 마르의 작품

▶「무제」(패션 사진)

▼ 만 레이가 촬영한 도라 마르

▼「대화」_도라 마르의 작품

도라 마르의 작품들_그녀는 더 이상「우는 여인」이 되지 않기 위해 자신의 예술혼을 불태웠다.

나치가 그렇게 많은 유대인들을 학살할 당시 유대인들은 포로수용소 안에서 유머를 이야기하고 웃음을 잃지 않기 위해 노력했어요. 그렇게라도 했기 때문에 그런 극한 상황을 견딜 수 있었던 거예요. 이렇듯 웃음은 신이 인간에게 부여한 크나큰 축복이자 선물이에요. 『톰소여의 모험』으로 유명한 작가 마크 트웨인도 "인류에게 유일한 효과적인 무기는 바로 유머다"라고 했어요. 한마디로 웃음은 우리 삶에서 행복해지고 싶다면 필수적으로 가져야 할 덕목이에요. 특히 우리가 살아가면서 힘든 시기를 맞을 때 이 웃음이 더 큰 가치를 발휘하겠죠. 피카소의 유머처럼 슬픈 상황마저 웃음으로 바꿔놓듯 가슴이 답답하고 화가 나더라도 거울을 보고 환하게 웃어보세요. 웃을 일이 별로 없더라도 일부러라도 꼭 웃으세요. 그리고 밝고 유쾌한 사람을 가까이 해보세요. 훨씬 행복해지실 거예요.

◀◀「노란 셔츠」_피카소는 도라 마르를 만나 약 10년 동안 연인으로 지냈는데 그녀를 그린 초상화는 1936년부터 1939년 작이 많이 남아 있다. 그녀의 인생에는 흥미로운 사람들이 많았지만 피카소가 가장 중요했다. 피카소는 그녀의 마음에 상처를 주고 그녀의 한평생을 자신의 그림자로 덮었다.

친절한 미술관

코카콜라

앤디 워홀(Andy Warhol, 1928 ~ 1987)은 미국 화가이자 영화 프로듀서이자 팝아트의 거장이다. '예술가는 배고픈 직업'이라는 사회 인식과 달리 현대미술에서 그는 예술적으로 대중적으로 상업적으로 성공한 예술가다. 팝아트란 대중문화적 이미지를 미술 영역으로 적극 수용한 구상미술의 한 경향이다. 그런 의미에서 그의 작품 「코카콜라」는 대중문화 속에 접목되는 데 거부감이 없었다.

앤디 워홀의 「코카콜라」. 흰색 화면에 검정색 코카콜라 한 병이 그려져 있고 콜라 병 목 높이의 오른쪽 공간에 코카콜라 로고 글씨가 따로 적혀 있네요. 그림이 워낙 단순해 따로 이미지 설명을 안 해주셔도 될 것 같은데요.

●●

화면에 보이는 코카콜라 한 병과 그 옆에 적힌 '코카콜라'라는 글자가 이 작품의 전부예요.

특별한 작품이라고 하셨는데 작품이 너무 쉽고 간단한 것 아닌가요?

●●

앤디 워홀의 작품은 대체로 이렇게 이미지가 간단명료한 것이 특징으로 일명 팝아트(Pop Art)라고 해요. 팝아트는 대중예술을 뜻하는 파

▲「**코카콜라**」_앤디 워홀은 코카콜라 병에 집중했는데 그 이유는 코카콜라 병이 세계에서 가장 인기 있고 유명한 이미지 중 하나였기 때문이다.

퓰러 아트(Popular Art)를 줄인 말이에요. 말 그대로 대중들이 어렵게 느끼지 않고 친근하게 다가가도록 제작된 대중적 작품을 말해요. 그래서인지 앤디 워홀 작품의 소재는 대부분 우리가 아는 쉬운 것들이고 무엇을 그렸는지 관람객들이 한눈에 알 수 있어요.

> 미술작품을 대중의 눈높이에 맞춰 쉽고 친근하게 느껴지도록 제작했다는 말씀을 들으니 대중을 향한 앤디 워홀의 따뜻한 배려심이 느껴지네요.

앤디 워홀은 이 작품을 제작하고 나서 이런 말을 남겼어요. "내 미술이 바로 코카콜라 같은 미술이 되길 바란다."

"내 미술이 코카콜라 같은 미술이 되길 바란다."
이 말은 자신의 미술이 그만큼 대중적인 것이 되길 바란다는 의미로 받아들이면 될까요?

코카콜라하면 일반적으로 떠오르는 이미지를 생각해볼까요? 미국
문화의 상징, 시원하고 톡 쏘는 상쾌함, 독특한 병 모양 등이 아니겠
어요? 오늘날 전 세계 200여 개국에서 마시는 기호음료 코카콜라는
제2차 세계대전 당시 군수물자에서 빠지지 않는 필수품이었다네요.
그리고 코카콜라는 작품이 제작된 1960년대 당시도 대중들이 즐겨
마신 음료였어요. 콜라 애호가로 유명한 인물로는 아이젠하워 대통
령과 현재의 조 바이든 대통령, 세계적 갑부 워런 버핏 등 셀럽들이
많은데 이 유명인사들 외에도 평범한 회사원이나 노동자부터 노숙
자에 이르기까지 다양한 소비층을 이루고 있는 것은 값이 저렴하기
때문이겠죠. 그럼 노숙자가 마시는 콜라와 대통령이 마시는 콜라는
맛이 다를까요? 또는 재벌 회장님이 5성급 호텔에서 마
시는 콜라와 오늘 방송을 마치고 제가 친구와 삼겹살집
에서 마시는 콜라는 맛이 다를까요? 한마디로 신분이
높든 낮든, 돈이 많든 적든 누구나 공평하게 같은 맛을
즐길 수 있잖아요. 그래서 앤디 워홀은 자신의 미술이
코카콜라 같은 존재가 되기를 바랐던 거예요.

앤디 워홀 「코카콜라」 포스터의 부분 그림

▲「코카콜라」_앤디 워홀은 선구적인 실크스크린 기술을 개발해 대중문화 주제의 사용과 병행하는 기계적 과정을 통해 그림을 제작할 수 있었다.

그런데 콜라는 공장에서 대량생산할 수 있으니 저렴한 가격에 누구나 사먹을 수 있지만
미술작품은 성격이 좀 다르지 않나요?

그래서 앤디 워홀이 자신의 미술을 코카콜라처럼 대량생산할 방법을 고안해낸 거예요.

미술작품을 코카콜라처럼 대량생산한다고요?

앤디 워홀은 미술작업실에 아예 '아트 공장'이라는 간판을 내걸고 거기에 자신이 고용한 조수들을 '예술노동자'라고 주저없이 불렀어요. 그리고 작품을 대량생산해 저렴하게 팔기 위해 작품 한 장 한 장을 공들여 그리는 기존 방법 대신 '실크스크린'이라는 판화기법의 인쇄 방식으로 작품을 제작했어요. 코카콜라가 대량생산되듯 미술작품도 대량생산하는 방식이죠. 그래서 이런 미술을 '대중미술'이라는 뜻의 팝아트라고 부르는 거예요.

작품을 대량생산해 저렴하게 보급하는,
대중을 위한 미술이라는 점에서 팝아트에 대해 알면 알수록 궁금해지네요.
그런데 앤디 워홀의 다른 작품들처럼
그의 작품은 추상화를 볼 때처럼 먼가
깊이 있게 보고 생각해내야 하는 작품은 아닌 것 같은데요.

그 점도 앤디 워홀 팝아트의 특징이에요. 그는 '대중은 누구나'라는 키워드를 가장 중시했어요. 소수의 특정전문가나 탁월한 지성인들만 이해할 수 있는 어려운 작품이라면 각계각층의 관람객을 아우르

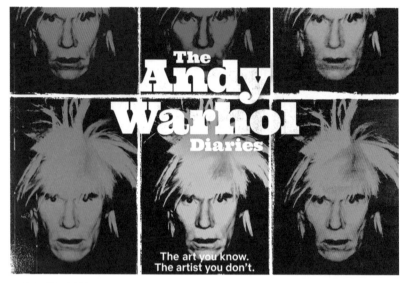

▲**앤디 워홀 전시회 포스터**_앤디 워홀 재단은 그의 목소리를 제작하기 위해 AI 음성을 동원했다. 홀로그램을 통한 입체적 전시회 포스터다.

는 팝아트라고 할 수 없겠죠. 사실 앤디 워홀이 활동하던 시기는 미국에서 추상미술 작품이 최고의 미술로 인정받던 때였어요. 그러나 사실 추상미술 작품은 모든 사람들이 쉽게 이해하고 즐길 수 있는 대중성과는 거리가 멀지 않나요? 대중들이 받아들이기에 너무 어렵거나 대중들이 소유할 엄두도 낼 수 없는 비싼 작품에 대항해 대중 누구나 좋아할 수 있고 소유할 수 있고 향유하기 쉬운 예술이 바로 팝아트가 추구하는 강령이에요. 그리고 그 한가운데를 버티고 서있던 인물이 앤디 워홀이고요. 오늘 보시는 「코카콜라」는 그런 앤디 워홀의 예술관을 가장 정확히 대변하는 작품이에요.

▲「마릴린 먼로」_팝아트의 거장 앤디 워홀의 명작으로 손꼽히는 할리우드 여배우 마릴린 먼로 초상화로 20세기 작품 최고가를 경신하며 1억 9,504만 달러(약 2,500억 원)에 팔렸다.

그러고 보니 앤디 워홀은 주관도 뚜렷하고 시대를 앞서 내다본 감각적인 예술가 같아요.

그런데 예술계처럼 배타적 성향이 심한 세계에서 기존 사조를 거슬러 시대를 앞선 작품활동을 한다는 건 그리 쉬운 일이 아니죠. 앤디 워홀이 단순하고 쉬운 이미지의 구상작품을, 그것도 '아트 팩토리'에서 대량생산해내는 것에 대해 당시 엄청난 야유와 비난이 쏟아졌어요. 게다가 앤디 워홀은 순수미술을 전공하지도 않았고 디자인을 전공한 상업 디자이너 출신이었거든요. 앤디 워홀은 디자이너가 예술에 대해 뭘 안다고 설치느냐는 비아냥도 묵묵히 감수해야 했어요. 그러나 사회는 대중의 힘이 점점 강해지는 대중의 시대에 이미 들어섰

어섰기 때문에 그 모든 비난에 굳이 맞서지 않아도 앤디 워홀은 예술가로서 최고 반열에 오를 수 있었던 거예요.

역시 시대정신을 올바로 읽어낸다는 것은 예나 지금이나 정말 중요한 것 같아요. 물론 지금도 대중이 힘을 가진 대중의 시대여서 앤디 워홀의 인기가 여전한 거겠죠?

당연하죠. 오늘날에도 앤디 워홀 작품의 인기는 장소를 불문하고 돌풍을 일으키고 있잖아요? 그리고 아무리 미술을 모르는 문외한도 앤디 워홀 이름 정도는 아니까요. 그런데 팝아트를 대변하는 이「코카콜라」작품을 우리나라 방식대로 바꿔보면 참 재미있을 것 같아요.

우리나라 방식으로요? 어떻게 바꾸고 싶으신가요?

'소주 같은 미술' 어떨까요? 우리나라 사람들은 특히 소주를 즐겨 드시잖아요? 오늘 고된 하루 일과를 끝내고 삼겹살집에서 제가 친구들과 편하게 한 잔 나누는 소주나 부자 사장님들이 고급 횟집에서 마시는 소주나 술맛은 똑같잖아요. 그만큼 소주는 전 계층을 아우르는 대중적인 술 아닌가요? 심지어 길에서 노숙하시는 분들도 소주를 찾지만 사회적 신분이 높은 분들도 친근하게 찾는 술이 소주라고 생각해요. 그러니 팝아트를 '소주 같은 미술'이라고 부르는 게 우리에게 더 직접적으로 와닿아요.

"이 나라의 위대한 점은 미국의 가장 부유한 소비자가 본질적으로 가장 가난한 사람들과 같은 것을 구입하는 전통을 시작했다는 겁니다. 대통령이 콜라를 마시고 리즈 테일러가 콜라를 마시고 당신도 콜라를 마실 수 있다고 생각하세요. 콜라는 콜라일 뿐 돈이 아무리 많아도 더 좋은 콜라를 살 수는 없습니다."

_앤디 워홀

미술관 관람 *Tip*

미술관 관람 팁

현대 미술이라는 단어를 영어로 번역하면 뜻이 조금 달라진다. 현대라는 말은 보통 두 가지로 번역되는데 모던(Modern)과 컨템포러리(Contemporary)다. 두 단어는 비슷해 보이지만 조금 다르다. 모던 아트는 19세기 말부터 20세기 초까지 존재했던 모더니즘 사조의 예술품을 뜻하며 1960년대 이후 포스트모더니즘 사조 이후부터 우리가 살고 있는 시대 정도를 컨템포러리 아트라고 부른다. 다른 말로는 동시대 미술이다. 현재도 무수히 창작되고 있는 예술가의 산실도 동시대 미술이 포함되는 셈이다. 물론 현대나 모던, 컨템포러리가 이 모든 것을 뜻하는 경우도 있다. 한국에는 모더니즘 아트를 별도로 취급하는 미술관이 없기 때문에 국립현대미술관은 컨템포러리 아트를 이름에 붙이고 있음에도 모더니즘 시기까지 포함한다. 사실 한국의 모더니즘 예술작품 수가 적은 것도 사실이다. 그러나 외국 미술관은 이를 엄격히 구분하는 곳도 있으니 주의해야 한다.

미술에 대한 조금 특별한 이야기를 들려주신다고요?

●●

네, 이제 봄이 왔네요. 이렇게 날이 점점 따뜻해지면 미술관이나 갤러리를 찾으시는 분들도 많으리라 생각해요. 그래서 오늘은 어떤 미술작품을 소개해드리기보다 우리가 미술관에 갔을 때 작품을 재미있게 관람하는 몇 가지 팁을 드릴게요.

우피치 미술관_이탈리아 피렌체에 있는 국립 미술관이다. 이탈리아에서 가장 중요한 박물관 중 하나다. 특히 이탈리아 르네상스 시기의, 가치를 매길 수 없는 컬렉션(Collection)을 소장하고 있다. 우피치 미술관은 최초의 현대적 박물관 중 하나로 16세기 이래로 요청에 따라 방문객들에게 개방되었다.

프라도 미술관_스페인 마드리드에 있는 국립 미술관이다. 디에고 벨라스케스, 프란시스코 고야, 엘 그
레코와 주세페 데 리베라를 비롯한 화가들의 그림이 소장되어 있다. 이 밖에도 루벤스, 라파엘, 안드레
야 만테냐, 보티첼리, 카라바조, 알브레히트 뒤러, 렘브란트 등 유명 화가들의 작품들이 소장되어 있다.

미술관에 가면 "이런 작품은 어떻게 봐야 하나?"라는
약간의 불안감도 들고요.
또 "나는 왜 이런 것도 모르지?"라는
자괴감이랄까 허탈감도 드는데요.
일반적으로 우리가 미술관이나 갤러리에 갔을 때
작품을 쉽고 재미있게 관람하는 요령이나 방법을 말씀해주시면
앞으로 우리가 미술관을 즐기고 문화생활을 하는 데
큰 도움이 될 것 같습니다.
미술작품을 쉽고 재미있게 감상하는 방법으로 어떤 게 있을까요?

●//

먼저 작품을 이론적으로 이해하시려고 너무 애쓰지 마세요. 이렇게
방송이나 책으로도 작품을 가까이 즐기시다 보면 이론적으로 이해
하는 건 시간이 지나면 자연스럽게 되니까요. 그리고 내가 미술을
잘 모른다고 미술관에 가 괜히 주눅들지 마시고요. 꼭 '나만의 명화'
를 만나 보세요. '나만의 명화'를 만나는 것이 우리가 예술작품을 보
는 목적이고 '나만의 명화'를 만나기 위해 우리는 미술관도 가고 갤
러리도 가고 책도 보고 명화를 소개받는 이런 방송도 듣는 거예요.

'나만의 명화'를 만나는 게 가장 중요하다고 하셨는데요.
'나만의 명화'를 잘 찾는게 말처럼 쉽진 않다는 생각이 들어요.
어떤 방법이 있을까요?

●//

미술관에 가셨을 때 전시된 미술작품은 다 챙겨봐야 하는 체크리스
트가 아니에요. 그냥 일종의 메뉴라고 생각하세요. 다시 말해 미술관
에 가셨을 때 전시된 작품을 몽땅 다 보고 다 이해하려고 하시지 말
고 한두 작품만 선택하셔서 깊이있게 보시라는 거예요.

왜냐하면 우리의 뇌는 용량의 한계가 있기 때문이에요. 그래서 우리가 미술관에 가 그 많은 작품을 다 보고 그 많은 작품에 대해 모두 감동받을 수는 없는 거예요. 그러니까 우선 미술관에 걸려있는 작품을 그냥 산책하듯 가벼운 마음으로 보시면서 그 중에 마음에 가장 와닿는 작품 한두 점만 골라보세요. 그렇게 선택하셨으면 그 작품 앞에 다시 가서 얼마동안 깊이있게 보세요. 많은 작품을 보는 대신 내가 선택한 한두 작품과 깊은 대화를 나누는 게 내게 훨씬 의미있는 시간을 부여하는 방법이에요.

사실 저는 미술관에 가도 뭐가 먼지, 좋은 게 먼지도 모르는데 그럴 때는 어떤 선택을 해야 좋을까요?

그럴 때는 여러분의 본능을 믿으세요. 우리가 누군가를 보고 가슴 뛰는 설렘과 사랑을 느꼈을 때를 생각해보세요. 그건 상대방의 정보에 대한 반응이라기보다 본능적인 느낌과 반응 아닐까요? 마찬가지로 예술작품을 처음 대할 때는 연인을 만나듯 본능적인 이끌림과 호감으로 우선 다가가면 되는 거예요.

미술관에 있는 모든 작품에서 다 감동받으려고 하지 말고 내가 선택한 한두 점에만 집중해 깊이있게 보라고 하셨는데요. '나만의 명작'을 만나는 방법으로 또 어떤 게 있을까요?

요즘 현대미술 작품 중에 충격적인 작품이 많죠. 그래서 많은 분들이 불편하실 거예요. 하지만 그런 상황에서 단지 불편하다고만 생각

▲「**천년**」_흥건한 소 머리, 다른 한쪽에는 파리 애벌레가 있다. 애벌레는 곧 파리가 되어 소머리가 있는 쪽으로 넘어와 삶을 누린다. 소가 점점 부패하는 동안 파리는 알을 낳아 새 생명이 탄생한다. 다 자란 파리는 위로 날아오르지만 그곳에는 전기충격기가 있고 곧 전기충격에 의해 죽는다. 이것은 끊임없이 반복된다. 태어나고 욕망하고 죽는다. 모든 것은 흔적도 없이 사라지고 결국 의미있는 것만 남는다. 데미안 허스트의 충격적인 작품이다.

하지 마세요. 그 대신 이 작품을 만든 작가가 "관람객들에게 왜 이런 불편함을 주려고 했을까?"를 잘 생각해보시면 그 작품이 훨씬 의미있게 다가올 거예요. 그리고 "이 작품이 나를 불편하게 한 이유는 무엇일까?"라는 궁금증과 함께 작품을 찬찬히 보시면 그 작품이 자신의 세계를 서서히 열어주기도 해요. 그럼 그 순간 우리는 내 자아를 다시 한번 되돌아보고 내가 나를 위로하고 사랑하는 시간을 가질 수 있어요. 어쨌든 미술관에 가 충격적인 현대미술을 만나시면 불편해하시지 말고 자발적으로 충격을 더 많이 받고 그 순간을 즐기시길 권해요.

●◐◗

요즘 누구나 현대미술 작품을 딱 보고 이해하기는 사실 어렵죠. 그럴 때 작품을 설명해주는 도슨트가 있으면 가장 좋겠지만 그렇지 못한 상황에서 우리는 일반적으로 작품정보가 나와 있는 도록이나 리플렛 등을 보기도 해요. 그런데 도록이나 리플렛에 나와있는 작품평론을 읽어보면 내용을 아시겠던가요? 생각보다 많은 분들이 그런글은 읽어봐도 잘 모르겠다고 말씀하세요. 그건 대부분 글이 잘못되어 있기 때문이에요. 좋은 글은 일반인들이 한 번만 쓱 읽어도 쉽게이해할 수 있는 편안한 글이에요. 그러니까 어려운 글은 그냥 안 읽으시면 돼요. 어려운 글 때문에 괜히 스트레스 받지 마시고 그냥 '내본능을 믿고' 작품에 내 상상과 의미를 부여하고 마음껏 작품을 즐기시면 돼요. 작품 해석은 무한히 자유롭게 열려 있어요. 한마디로내가 작품을 어떻게 생각하고 어떤 의미를 부여하고 어떤 판단을 내려도 상관없으니 자유롭고 재미있게 즐기시면 돼요.

●◐◗

미술관에 가면 말씀하신 대로 어떤 작품은 제목이 있는데 어떤 작품은 제목 없이 '무제'라고만 표기되어 있죠. 많은 분들이 이럴 때 "이

오르세 미술관_파리 세느강 좌안에 위치한 미술관이다. 1986년 개관한 오르세 미술관은 오늘날 파리의 명소가 되었다. 인상주의 미술작품을 전시하던 국립 주드폼 미술관의 소장품이 모두 오르세 미술관으로 이관되었다. 소장품 중 빈센트 반 고흐, 폴 고갱을 비롯한 19세기 인상파 작품이 유명하다.

내셔널 갤러리_대영박물관과 함께 영국 최대 미술관 중 하나다. 시대적으로 초기 르네상스에서 19세기 후반에 이르고 영국뿐만 아니라 각국의 명작을 골고루 소장한 것으로 알려져 있다. 특히 반 에이크의 「아르놀피니 부부의 초상」을 비롯해 렘브란트를 정점으로 하는 17세기 네덜란드 회화의 많은 명작을 소장하고 있다.

건 또 뭐지?"라고 생각하실 거예요. 딱
두 가지만 생각하세요. 작품에 제목이
없는 '무제'일 때는 작가가 우리에게 자
유를 주기 위한 거라고요. 그 자유는 우
리 생각의 자유를 말해요. 그러니까 우
리가 그 작품을 보고 어떤 상상, 어떤 의
미를 부여하든 모든 생각의 자유를 100
% 관람객에게 열어놓은 거라고 생각하
시면 돼요.

▶마크로스코의「무제」

그럼 제목이 있는 건요?

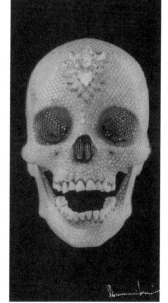

제목이 있는 작품은 작가가 작품에 어
떤 의미를 부여한 거예요. 그건 우리가
시에서 보는 시 제목과 같은 맥락으로
이해하시면 돼요. 작품에 부여한 좋은
제목은 한 편의 시와 같이 작품과 잘 어
우러지면서 우리에게 인문학적 성찰을
하게 만들어요.

▶데미안 허스트의「신의 사랑을 위하여」

▲「흡혈귀」_이 작품이 공개되었을 때 어두운 그림 분위기와 힘없이 여성의 품에 안긴 남성과 붉은 머리와 창백한 피부의 여성이 남성의 목덜미에 키스하는 장면에서 상당한 논란을 일으켜 피를 빨아 먹는 「흡혈귀」라는 제목이 자연스럽게 붙었다.

그럼 무제든 아니든
모든 작품 제목을 작가가 부여한다는 말씀인가요?

● ● ◉

대부분 작품의 제목은 그 작품을 제작한 작가가 부여하는 게 일반적인데 작가가 제목을 '무제'라고 정하지도 않고 작품만 남기고 죽는 경우도 종종 있어요. 그런 경우, 전시기획자가 제목을 부여하거나 역사적으로 중요한 작품이면 평론가나 미술 전문가들이 모여 공식 회의를 거쳐 제목을 정하기도 해요.

암스테르담 국립미술관 네덜란드를 대표하는 미술관 중 하나로 당시 네덜란드 왕 루이 보나파르트에 의해 1808년 건립되어 오늘날에 이르렀다. 「야경」, 「유다의 신부」 등을 비롯한 21점의 렘브란트 작품과 석 점의 페르메이르 작품은 컬렉션의 압권(壓卷)을 이루고 있다.

예르미타시 미술관 러시아 생 페테르부르크에 있는 미술관으로 영국 대영박물관, 프랑스 루브르 박물관과 함께 세계 3대 박물관이다. 1764년 예카테리나 2세가 미술품을 수집한 것이 예르미타시 미술관의 기원이다. 현재 본관의 일부인 겨울궁전은 로마노프 왕조 시대의 황궁이다.

작가가 부여한 제목 외에 수많은 관람객들이 별명처럼 장난스럽게 부르던 명칭이 부제가 되었다가 제목이 된 경우도 종종 있어요. 그래서 어떤 제목은 작가가 신중히 부여한 제목이지만 어떤 제목은 관람객이나 전문가나 전시기획자들이 만들어주기도 해요. 어디까지나 제목은 그런 거니까 내 감상에 필요한 요소들만 스스로 알아서 취사선택하시면 돼요. 그러니까 제목이 있다고 꼭 거기에 얽매여 내 생각과 상상을 가눌 필요가 없어요. 우리가 시에 대해서도 무한한 상상과 생각의 자유를 갖듯 작품에 제목이 있다고 꼭 그 안에서만 생각의 한계를 정할 필요는 없어요. 우리의 상상은 늘 무한히 열려 있어야 해요.

우리가 미술관에 가 미술작품을 관람하는 몇 가지 요령을 말씀해주셨는데요. 이 외에 중요한 것으로 어떤 게 있나요?

지금까지 미술감상의 중요한 팁을 말씀드린 건 결국 '나만의 명화'를 만나기 위한 과정이에요. 우리가 미술작품을 볼 때 가장 중요한 건 나만의 명작을 찾는 거예요. 누구든 '나만의 명화'를 만나면 세상에서 가장 아름다운 연인이 생긴 것만큼 행복해져요. 그것을 위해 우리가 미술감상을 하는 거예요. 나만의 명화를 만나는 순간부터 그 작품은 내 가슴 속에서 나와 함께 사는 거예요. 그 작품은 때로는 내 친구가 되어 즐겁게 해주고 때로는 내 스승이 되어 길을 가르쳐주죠. 또한 내가 아플 때 힘과 위로를 주는 게 바로 내가 찾아낸 나만의 명화예요.

●○

여기서 절대로 착각하시면 안 되는 게 있어요. '나만의 명화'란 세계에서 가장 값비싼 작품이나 가장 유명한 작품이 아니에요. 그리고 평론가들이 치켜세우는 작품에 너무 무게를 둘 필요도 없어요. '나만의 명화'란 내게 가장 소중한 나만의 연인처럼 내게 가장 아름답고 내게 가장 중요한 의미 있는 작품이에요. 그리고 나만의 본능적 감각을 믿으세요. 내 눈에 '이거다!'라는 느낌 말이에요.

●○

저도 '나만의 명화'를 만난 덕분에 인생이 바뀐 사람 중 한 명이에요. 그것도 매우 좋은 방향으로요. 그래서 우리 청취자분들이 저와 같은 행운을 누리시길 바라는 마음에서 이 방송을 진행하는 거예요. 물론 미술관에서 작품을 직접 보고 감동받아 나만의 명화로 내 가슴에 간직하면 좋겠지만 미술관이나 갤러리 같은 현장에서만 꼭 작품을 만나야 하는 건 아니에요. 그때그때 상황과 형편대로 이렇게 방송으로 만나도 좋고 책이나 사진으로 만나도 좋아요. 그러니까 좋은 미술작품이 있으면 어떤 형태로든 많이 접하고 즐기시는 게 가장 좋은 방법이에요. 그렇게 '나만의 명화'를 만나 보세요.

메트로폴리탄 미술관_미국 뉴욕주 뉴욕 맨해튼 어퍼 이스트 사이드에 있는 세계적인 미술관이다. 소장 유물의 폭이 동서고금을 아우르는 전 시대와 지역에 걸쳐 있다. 국가나 정부기관의 주도가 아닌 민간이 순수하게 주도해 설립된 유서 깊은 미술관으로 많은 사람의 사랑을 받고 있다.

바티칸 미술관_로마의 비알레 바티카노 바티칸시 내부에 있는 세계 최대 미술관 중 하나다. 로마 가톨릭교회에 의해 세워진 방대한 전시관에는 수 세기에 걸친 예술품들이 소장되어 있다. 바티칸 미술관과 통하는 방문 경로에 시스티나 성당과 라파엘로가 장식한 '서명의 방'이 있다.

오늘은 미술관에서 주눅들지 않고
미술작품을 재미있게 즐기는 요령과
'나만의 명화'를 만나라는 말씀을 들어봤는데요.
끝으로 지금까지 미술작품을 즐기는 요령을
간단히 정리해주세요.

미술관에 가셨을 때는

첫째, 많은 작품을 보려고 하기보다 내 마음에 와닿는 작품 한두 점만 선택해 깊이있게 보세요.

둘째, 충격적인 현대작품을 보면 자발적으로 더 충격을 받고 즐기세요.

셋째, 작품 제목이 없는 '무제'는 작가가 관람객의 자유로운 상상력을 제한하지 않겠다는 의도이니 마음껏 자유롭게 즐기세요.

넷째, 제목이 있다면 시와 같은 의미를 부여한 것으로 생각하세요.

다섯째, 자신감을 갖고 내 감각과 본능을 믿고 '나만의 명화'를 꼭 만나 보세요.

친절한 미술관

초판 1쇄 발행 2023년 05월 18일
초판 2쇄 발행 2023년 06월 10일
초판 3쇄 발행 2023년 11월 15일

—

지은이 정연은
펴낸이 곽유찬

이 책은 **편집 박진영 님, 표지디자인 장상호 님,
본문디자인 김성진 님**과 함께 진심을 다해 만들었습니다.

펴낸곳 북클로스
출판등록 2019년 5월 14일 제 2019-000046호
주소 서울시 서대문구 홍은중앙로3길 9 102-1103호
이메일 lanebook@naver.com
*북클로스는 레인북의 예술브랜드입니다.

인쇄 · 제본 (주)상지사

ISBN 979-11-967269-8-0 (03600)